A2

Wilfried Krenn – Herbert Puchta

MOTIVE

KOMPAKTKURS DaF

KURSBUCH, Lektion 9–18
Deutsch als Fremdsprache

Hueber Verlag

Für die Beratung und die hilfreichen Hinweise bei der Entwicklung des Lehrwerks danken wir
Dr. Andrea Geier, Deutschkurse bei der Universität München e. V., Deutschland

▶ 3|4 Die Inhalte der *Kursbuch-Audio-CD* finden Sie auch unter www.hueber.de/motive

⦿ Die Hörbeispiele zum *Audiotraining* finden Sie unter www.hueber.de/motive

Eine *Grammatikübersicht* und weiteres Material finden Sie unter www.hueber.de/motive

6. 5. 4.   Die letzten Ziffern
2024 23 22 21 20   bezeichnen Zahl und Jahr des Druckes.
Alle Drucke dieser Auflage können, da unverändert,
nebeneinander benutzt werden.
1. Auflage
© 2015 Hueber Verlag GmbH & Co. KG, München, Deutschland
Umschlaggestaltung: Sieveking · Agentur für Kommunikation, München
Layout und Satz: Sieveking · Agentur für Kommunikation, München
Druck und Bindung: optimal media GmbH, Röbel
Printed in Germany
ISBN 978-3-19-001881-9

Art. 530_18337_001_04

Vorwort

Liebe Lernende!

MOTIVE ist ein kompaktes Lehrwerk. Es soll Sie in möglichst kurzer Zeit zu den Niveaustufen
A1, A2 und B1 des Europäischen Referenzrahmens führen.

Das Erlernen einer Fremdsprache macht Freude, vor allem am Beginn eines Kurses. Die meisten
Lernenden erleben aber auch Phasen, in denen das Lernen nicht so leichtfällt. Wir möchten Ihnen
helfen, Ihre hohe Anfangsmotivation aufrechtzuerhalten.

Das Bedürfnis, Texte in der Fremdsprache zu verstehen, und das Bedürfnis, sich in der fremden
Sprache mitzuteilen, sind wohl die wichtigsten Motive für das Fremdsprachenlernen. Sie sind
der Motor des Fremdsprachenerwerbs. MOTIVE versucht, diesen Motor am Laufen zu halten.
Dies geschieht vor allem über interessante Texte und Situationen sowie über Aufgaben, bei denen
Sie über das sprechen und schreiben, was Sie betrifft.

Aufbau des Lehrwerks

Das Lehrwerk besteht aus dem Kursbuch, Audio-CDs zum Kursbuch, dem Arbeitsbuch mit
MP3-Audio-CD sowie Übungen und Aufgaben im Internet.

Acht kompakte Lektionen führen Sie auf das Niveau A1, zehn Lektionen auf das Niveau A2 und
zwölf weitere Lektionen auf das Niveau B1.

Die Aufgaben und Übungen im Arbeitsbuch und im Internet folgen der Progression im Kursbuch.
So können Sie nach den Präsentations- und Übungsphasen im Kurs selbstständig zu Hause weiter
üben. Auch die Lösungen für die Arbeitsbuchübungen finden Sie im Internet.

Aufbau der Lektionen

Die zehn Lektionen sind jeweils einem Lektionsthema gewidmet. Jede Lektion besteht aus einer
Einstiegsseite, drei Doppelseiten mit Texten, Aufgaben und Übungen, sowie einer Übersichtsseite
mit der Grammatik und den wichtigsten Redemitteln aus der Lektion.

Auf den Einstiegsseiten finden Sie kurze Modelltexte, die Ihre Erfahrungen zum jeweiligen Lektionsthema aktivieren sollen. Auf der Basis dieser Modelltexte schreiben Sie eigene Texte und üben dabei
Strukturen und Wortschatz aus den vorhergegangenen Lektionen.

Die drei Doppelseiten sind unterschiedlichen Aspekten des Lektionsthemas gewidmet.
Auf jeder Doppelseite steht ein interessanter Hör- oder Lesetext im Zentrum der Spracharbeit.
Die Übungen davor und danach präsentieren und trainieren Redemittel, Grammatik und Wortschatz.
Alle Aktivitäten bleiben dabei im Kontext des Themas. So wird kommunikative, formfokussierte
Spracharbeit im Unterricht möglich.

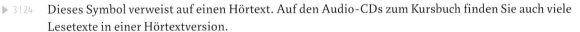

Die Grammatik- und Sprachkästen weisen
auf sprachliche Besonderheiten hin.

▶ 3|24 Dieses Symbol verweist auf einen Hörtext. Auf den Audio-CDs zum Kursbuch finden Sie auch viele
Lesetexte in einer Hörtextversion.

((Dieses Symbol verweist auf das Audiotraining. Die Hörbeispiele finden Sie unter
www.hueber.de/motive

AB Einer Doppelseite im Kursbuch entspricht eine Doppelseite mit Übungen im Arbeitsbuch.
Hinweise auf die entsprechenden Übungen und Aufgaben finden Sie sowohl im Kursbuch als auch
im Arbeitsbuch.

Viel Motivation und Erfolg beim Lernen
wünschen Ihnen Autoren und Verlag

Inhalt

	WORTFELDER	GRAMMATIK
Einladungen – Einladungen verstehen – eine Einladung schreiben – auf Einladungen reagieren: absagen bzw. zusagen	Kommunikation; Feste und Feiern	Nebensatz – Konjunktion *dass*; Perfekt von trennbaren Verben, Verben mit Vorsilben und Verben auf *-ieren*; indirekte Fragesätze mit *ob* und Fragewort
der erste Eindruck – Personen beschreiben – Personen vergleichen – über Veränderungen sprechen – Meinungen bewerten	Aussehen; Kleidung; Persönlichkeit	Adjektiv – Vorsilbe *un-*; Komparativ und Superlativ; Vergleiche: *so ... wie / ... -er als ...*; Konjunktiv II – höfliche Frage und Bitte mit *könnte* und *würde*; Verben mit Dativ und Akkusativ (1); Verben mit Dativ; Demonstrativpronomen *der / das / die, dies-* und Fragepronomen *welch-*
in der Natur – argumentieren – ein Bild beschreiben	Tiere; Bürotechnik; Pflanzen; Landschaft	Präteritum – Modalverben *können, dürfen, müssen,* *wollen, sollen, mögen;* Nebensatz – Konjunktion *weil*
Wetterextreme – über das Klima sprechen – über Verkehrsrouten sprechen – jemanden warnen	Wetter	Präteritum regelmäßige Verben, unregelmäßige Verben und Mischverben; Nomen – nominalisierte Verben; Adjektive mit *-ig;* Nebensatz – Konjunktion *wenn;* lokale Präposition mit Akkusativ *an* und *in;* modale Präposition *aus;* lokale Präposition *durch*
Aktivitäten rund ums Haus – beschreiben, was gemacht wird – sagen, was man machen lässt	Essen und Trinken; Wohnen	Konjunktiv II – Wünsche äußern *hätte, wäre* und *würde machen ...;* Wechselpräpositionen *in, an, auf,* *über, zwischen, hinter, neben, unter, vor;* Passiv Präsens; Konjugation von *lassen*

Inhalt

	WORTFELDER	GRAMMATIK
C		
Schule und Ausbildung – über Schulsysteme sprechen – über die Ausbildung sprechen	Schule; Ausbildung	Nebensatz – Konjunktion *obwohl*; *trotzdem*; modale Präposition *als*; Konjunktiv II – Ratschläge geben; Konjunktiv II *sollte*; Präpositionen *von* + Dativ … *bis* + Dativ; temporale Präposition *in* + Dativ; lokale Präposition *um (herum)*; *jed-*
Freundschaften – über Beziehungen sprechen – über sich sprechen	Familie; Persönlichkeit; auf dem Amt	reflexive Verben; Adjektivdeklination (1); *manch-*

Beschreibungen
– ein Transportmittel
  beschreiben
– einen persönlichen
  Gegenstand beschreiben
	Reise und Unterkunft;
	Maß- und Mengenangaben
		Nebensatz – Relativsatz mit Relativpronomen
		im Nominativ; temporale Adverbien;
		lokale Adverbien; Adjektivdeklination – Superlative;
		Nomen – Genitiv bestimmter Artikel *der/das/die/dies-*,
		unbestimmter Artikel, Possessivartikel

Fremdsprachen lernen – über Lerngewohnheiten sprechen	Veranstaltungen; Lernen	Verben mit Präposition; Präpositionalpronomen *wo(r)…?, da(r)…*; Infinitivsätze; Adjektivdeklination (2)
fit durch Sport – über Sport sprechen – gemeinsam Wörter verstehen	Auto; Gesundheit; Sportarten	Verben mit Dativ und Akkusativ (2); Indefinitpronomen *einer/meiner/keiner/welche/…;* *jemand-/niemand-* Wortbildung – Nomen auf *-ung, -er*

Kennenlernen

Partnerporträts

a Carmen Jiménez und Jerzy Nowak besuchen einen
Deutschkurs. Sie haben Partnerporträts geschrieben.
Lesen Sie die Texte. Woher kommen Carmen
und Jerzy? Wo sind sie jetzt?

A

Mein Partner heißt Jerzy Nowak. Er kommt
aus Polen, seine Familie lebt in Krakau.
Jerzy ist Mechaniker von Beruf. Er spielt gern
Basketball und findet Raps gut. In Spanien
war er noch nie, aber er möchte gern einmal
nach Barcelona reisen. Seine Lieblingsspeise
ist Bigos, das isst man in Polen oft und gern.
Er mag keinen Regen und keinen Nebel. Nebel
macht Jerzy müde, deshalb gefällt ihm der
Herbst in Deutschland nicht so gut.

Carmen Jiménez

B

Meine Partnerin heißt Carmen Jiménez und
kommt aus Spanien, aus Sevilla, aber jetzt
besucht sie einen Deutschkurs in Regensburg.
Ihre Lieblingstageszeit ist der Abend.
Am Abend muss sie nicht arbeiten und kann
mit ihren Freunden ausgehen. Sie kauft sehr
gern Bücher. Sie mag Literatur aus Spanien
und England. Auf eine einsame Insel nimmt sie
ganz sicher ein Buch und ihren MP3-Player mit.

Jerzy Nowak

b Vor dem Schreiben haben Carmen und Jerzy ein Partnerinterview gemacht.
Welche Fragen passen zu welchem Text? Notieren Sie A (Carmens Text) und/oder B (Jerzys Text).
Achtung: Nicht alle Fragen passen.

1 Wie heißt du? A, B
2 Woher kommst du (Land)? _____
3 Wie heißt deine Heimatstadt? _____
4 Wo wohnst du? _____
5 Was bist du von Beruf? _____
6 Was machst du gern? _____
7 Was isst und trinkst du gern? _____
8 Was ist deine Lieblingstageszeit /
  dein Lieblingsmonat /...? _____
9 Warst du schon einmal in ...? _____
10 Wohin möchtest du ...? _____

11 Hast du schon einmal ... gegessen/
   getrunken/...? _____
12 Bist du schon einmal ... gefahren? _____
13 Was möchtest du auf eine einsame Insel
   mitnehmen? _____
14 Was willst du in fünf/zehn/... Jahren machen? _____
15 Was kaufst du gern? _____
16 Welches Wetter gefällt dir? _____
17 Was findest du gut / nicht so gut /
   schrecklich/...? _____
18 Was macht dich müde/traurig/glücklich/...? _____

c Wählen Sie sechs interessante Fragen aus b aus und machen Sie ein Interview mit
Ihrer Partnerin / Ihrem Partner. Schreiben Sie dann einen kurzen Text über sie/ihn.

d Hängen Sie alle Partnerporträts an die Wand und lesen Sie die Texte. Finden Sie zu vier Texten
eine weitere Frage und sprechen Sie mit den vier Kursteilnehmerinnen/Kursteilnehmern.

Warum
rufst du
nicht an?

bloggen

twittern / chatten

telefonieren

SMS schreiben / simsen

Briefe / Einladungen schreiben

In Kontakt bleiben

a **Wie bleiben Sie mit Ihren Freunden und Bekannten in Kontakt? Schreiben Sie.**

jeden Tag / jede Woche   einmal / zweimal pro Woche / Monat / Jahr ...
selten   manchmal   oft   immer   ...

Freunde anrufen / mit ... telefonieren   *Astrid, jeden Tag*
E-Mails schreiben
eine Postkarte / einen Brief schicken
skypen / chatten / twittern
Freunde in meinem sozialen Netzwerk treffen
einen Blog schreiben / bloggen
...

b **Lesen Sie. Wie bleibt Andreas mit seinen Freunden in Kontakt?**

Andreas: Beruflich bin ich zurzeit oft im Ausland. Das ist sehr interessant. Deshalb habe ich einen Blog im Internet. Dort schreibe ich über meine Erfahrungen. Meine Freunde finden das gut. Sie schreiben dann Kommentare in unserem sozialen Netzwerk. Mit meiner Familie skype ich oft. Beruflich schreibe ich auch viele E-Mails. Zu Hause brauche ich den Computer und das Internet aber nicht. Da treffe ich meine Freunde lieber beim Sport oder in unserer Kneipe.

c **Schreiben Sie einen Text mit Ihren Ideen aus a und sprechen Sie
mit Ihrer Partnerin / Ihrem Partner.**

Ich rufe oft / ... meine Freunde / ... an.
Mit Astrid telefoniere ich jeden Tag / ...

Mit Astrid telefoniere ich ...

Schreibst du auch Briefe?

SIE LERNEN

– persönliche Nachrichten
  formulieren
– jemanden einladen

GRAMMATIK
– Perfekt von trennbaren
  Verben, Verben mit
  Vorsilben, Verben auf
  -ieren
– Konjunktion *dass*
– indirekte Fragesätze

WORTSCHATZ
– Kommunikation
– Feste und Feiern

AB **A1 Kommunikation früher und heute**

a **Seit wann gibt es ...? Was glauben Sie? Ergänzen Sie die Jahreszahlen.**

1983   1981   1994   1923   1880   2007   ~~1600 v. Chr.~~   1966

1 Wir benutzen seit _____ Handys.
2 Man schreibt seit _1600 v. Chr._ Briefe.
3 Die ersten Computer waren _____ in den Geschäften.
4 Man kann Faxgeräte seit _____ kaufen.
5 Es gibt das Internet seit _____.
6 Wir benutzen seit _____ Telefone.
7 Radiohören ist seit _____ möglich.
8 Immer mehr Leute kaufen seit _____ Smartphones.

▶ 3|1 b **Hören Sie den Dialog und ergänzen Sie.**

● Ich glaube, dass wir seit _____ Handys benutzen.
■ Nein. Ich bin sicher, dass es erst seit _____ Handys gibt.
● Hören wir doch die Lösung.

▶ 3|2 c **Wer hat recht? Hören Sie die Lösung zu b.**

d **Schreiben Sie _dass_-Sätze mit den Informationen aus a.**

Ich glaube, dass Radiohören seit ... möglich ist.
Ich bin sicher, dass ...

┌───
┊ Nebensatz mit _dass_
┊ Man schreibt seit 1600 v. Chr. Briefe.
┊
┊ Ich glaube, dass man seit 1600 v. Chr. Briefe schreibt.
└───

▶ 3|3 e **Partnerarbeit. Sprechen Sie wie in b.**
Hören Sie dann die Lösungen zu den Sätzen in a.

Ich glaube, dass ... seit ... möglich ist.

Nein, ich bin sicher, dass ...

Hören wir doch die Lösung.

Ich glaube / Ich bin sicher, dass ...
Ja, das glaube ich auch.
Nein, ich bin sicher / ich glaube, dass ...

AB **A2 Rufen Sie bitte zurück ...**

▶ 3|4, 5 a **Wer will mit wem sprechen? Hören Sie. Ergänzen Sie die Tabelle.**

Oskar Petermann   ~~Maja Schulz~~   Frau Neugebauer   Felix Krüger   Sabine Arnold   Kerstin Niemeier

Handynummer	Das ist die Mailbox von ...	Anrufer oder Anruferin	
0156 68 43 20		1. Anruf	Maja Schulz
		2. Anruf	
0156 68 35 87		1. Anruf	
		2. Anruf	

▶ 3|4, 5 **b** **Hören Sie noch einmal und ordnen Sie zu. Wer sagt was?**

Maja Schulz (A)   Kerstin Niemeier (B)   Felix Krüger (C)   Frau Neugebauer (D)

1 Der Tisch ist für halb eins reserviert. A   5 Die Möbel sind da. ☐
2 Der Ausflug wird sicher toll. ☐   6 Der Möbelwagen kommt um Viertel vor eins. ☐
3 Frau Sommer ist krank. ☐   7 Zehn Kundinnen haben einen Termin bei Frau Sommer. ☐
4 Das Konzert war toll. ☐   8 Die Wanderung zum Schloss dauert zwei Stunden. ☐

c **Schreiben Sie die Sätze aus b wie im Beispiel.**

1 Maja hat gesagt, dass der Tisch für halb eins reserviert ist.
2 ...

Der Tisch ist für halb eins reserviert.

d **Was ist Oskar Petermanns Problem?**
Und was ist Sabine Arnolds Problem? Schreiben Sie.

Möbel bekommen   einen Ausflug machen   essen gehen
für eine Kollegin arbeiten sollen

Oskar Petermann will mit Maja _____ ,
aber _____ .
Sabine Arnold will mit ihren Tennisfreundinnen _____ ,
aber _____ .

AB **A3 Ein Problem – Aber es gibt zwei Lösungen.**

▶ 3|6 **a** **Oskar Petermann ruft zurück und spricht auf die Mailbox. Was ist richtig? Hören Sie und schreiben Sie.**

... der Möbelwagen früher oder später kommt.   ... Maja zu Oskar kommen soll.
... er zu Mittag nicht kommen kann.   ... der Möbelwagen einen Tag später kommt.

Lösung 1: Oskar Petermann möchte, dass ...
Lösung 2: Oskar Petermann sagt Maja, ...

b **Was glauben Sie? Welche Lösung gefällt Maja wohl besser? Sprechen Sie.**

Maja gefällt Lösung ...

c **Partnerarbeit: Was glauben Sie? Welche Lösung(en) findet Sabine Arnold?**
Welche Nachrichten hinterlässt sie? Schreiben Sie zu zweit.

Lösung 1: Guten Tag Frau Neugebauer, hier spricht Sabine Arnold. Sie haben gesagt, dass ...
Lösung 2: Hallo Kerstin, hier spricht Sabine. Du hast gesagt, dass ...

A4 Nachrichten auf Ihrer Mailbox

a **Notieren Sie die Namen von vier Verwandten, Bekannten oder Freunden.**
Was möchte die Person mit Ihnen machen? Schreiben Sie.

Die Person möchte Sie zum Essen / zu einer Party / ... einladen   ... will Sie treffen /
Tennis spielen   ... will mit Ihnen zu einem Konzert gehen / einen Ausflug machen / ...
... braucht Hilfe / ...   ... kommt später/früher ...   ... erzählt von ...
... will etwas von Ihnen wissen   ... möchte einen Rückruf

1 Albin – Tennis spielen
2 ...

b **Die vier Personen aus a sprechen auf Ihre Mailbox. Was sagen sie?**
Schreiben Sie die vier Nachrichten wie im Beispiel.

1 Hallo Jan, hier ist Albin. Spielen wir am Freitag Tennis? Ich habe
ab 15:00 Uhr frei. Hast du auch Zeit? Bitte ruf zurück. Tschüs. 2 ...

Hallo ..., hier ist/spricht ...
Ich möchte/will/...
Kannst/Willst/Möchtest/...
*   du (auch) ...*
Hast du ... Zeit?
Ich brauche ...
Bitte ruf zurück.

c **Gruppenarbeit. Lesen Sie die Nachrichten**
vor und erzählen Sie von den Personen.

Albin ist mein Cousin. Wir spielen
manchmal Tennis. Er ...

a   Lesen Sie die Fragen und die Bildunterschriften. Was passt? Ordnen Sie zu.

1   Wer hat Probleme mit Cybermobbing? ☐
2   Was ist bei Cybermobbing wichtig? ☐

A

Gegen Cybermobbing
muss man etwas tun.
Auf keinen Fall darf
man Opfer bleiben.

B

Lernst du fleißig,
du Streber?

Experten glauben, dass
jeder Dritte Probleme
mit Cybermobbing hat.
Auch Schüler mit guten
Noten werden Opfer von
Cybermobbing.

▶ 3|7 b   Lesen Sie und hören Sie den Text. Was ist Kevins Problem? Was ist die Lösung? Sprechen Sie.

Das ist kein Spaß ...

Kevin ist 15 Jahre alt. Er ist immer gern zur Schule gegangen und hat gute Noten bekommen. Doch seit einigen Tagen ist alles anders. Es hat mit ein paar dummen Nachrichten auf seinem Handy angefan-
5 gen. „Hallo Muttersöhnchen" und „Lernst du flei-ßig[1], du Streber?" hat er da gelesen. Zuerst hat Kevin gedacht, dass jemand schlechte Späße macht. Er hat die Nachrichten einfach gelöscht. Doch dann hat er sein Foto im Internet gesehen. Jemand hat mit
10 einem Filzstift eine große Brille gezeichnet und ihm eine schwarz-weiß karierte Jacke angezogen. Er hat schrecklich ausgesehen. Und dann hat er die Kommentare gelesen ... Natürlich waren da keine Namen, alles war anonym. Am nächsten Morgen
15 ist Kevin nicht aufgestanden, sondern einfach im Bett geblieben. Den ganzen Tag hat er nur an das Foto im Internet gedacht.
So etwas wie Kevin ist schon vielen Jugendlichen und Erwachsenen passiert. Experten glauben, dass
20 in Deutschland jeder Dritte Probleme mit Cyber-mobbing hat. Falsche Geschichten, böse Kommen-tare und hässliche Fotos im Internet, das bedeutet Cybermobbing für die Opfer.

In ihrem Buch *Generation Internet* beschreiben John
25 Palfrey und Urs Gasser dieses Problem. Mobbing hat es immer gegeben, so die Autoren, aber das Internet macht Mobbing für die Täter[2] besonders einfach. Im Internet haben sie viele Leser und Leserinnen und können ganz anonym bleiben. Für die Opfer ist
30 das sehr gefährlich.
Was kann man gegen Cybermobbing tun? Auf keinen Fall darf man Opfer bleiben, sagen die Experten. Man muss etwas tun.
Dann hat Kevin seinen Eltern
35 von seinem Problem erzählt. Sie sind zusammen zur Schul-leiterin gegangen und haben gemeinsam eine Lösung gefun-den. Einen Tag später waren
40 Kevins Foto und die Kommen-tare nicht mehr im Netz. In Schulprojekten haben die Schüler dann das Problem Cybermobbing diskutiert.
45 Heute liest Kevin alle SMS wieder gern, ... na ja, fast alle.

Hast du dein
Zimmer
aufgeräumt?

[1] jemand lernt oder arbeitet viel ↔ faul: jemand tut nichts
[2] er/sie tut etwas

c   Sind die Sätze richtig oder falsch? Lesen Sie den Text noch einmal. Kreuzen Sie an.

richtig falsch

1   Kevin hat die Nachrichten auf seinem Handy lustig gefunden.
2   Das Foto im Internet hat Kevin gefallen.
3   Kevin hat die Täter gekannt.
4   In Deutschland haben nur Jugendliche Probleme mit Cybermobbing.
5   Mobbing im Internet ist gefährlich, denn man kennt die Täter nicht.
6   Die Schulleiterin hat Kevin geholfen.

d **Wie steht es im Text? Ergänzen Sie die Partizipien und ordnen Sie dann die Sätze.**

erzählt   angezogen   angefangen   diskutiert   ausgesehen
~~bekommen~~   aufgestanden

<table>
<tr><td></td><td>In Schulprojekten haben die Schüler das Problem _____.</td></tr>
<tr><td></td><td>Am nächsten Morgen ist Kevin nicht _____.</td></tr>
<tr><td></td><td>Dann hat Kevin seinen Eltern von seinem Problem _____.</td></tr>
<tr><td></td><td>Er hat schrecklich _____.</td></tr>
<tr><td></td><td>Es hat mit ein paar dummen Nachrichten auf seinem Handy _____.</td></tr>
<tr><td></td><td>Jemand hat ... ihm auf dem Foto eine schwarz-weiß karierte Jacke _____.</td></tr>
<tr><td>1</td><td>Kevin hat gute Noten <u>bekommen</u> .</td></tr>
</table>

> **Partizip**
>
> **trennbare Verben**
> auf¦hören   auf¦ge¦hört
> an¦fangen   an¦ge¦fangen
>
> **Verben mit *er-, be-, ent-, ver-, über-, unter-* (kein *-ge-*)**
> erzählen   erzählt
> bekommen   bekommen
> entschuldigen   entschuldigt
> verlieren   verloren
> übernachten   übernachtet
> unterschreiben   unterschrieben
>
> **Verben auf *-ieren* (kein *-ge-*)**
> passieren   passiert
> diskutieren   diskutiert

AB **B2 Nette und nicht so nette SMS**

a **Lesen Sie die SMS 1–5. Wer schreibt wohl wem? Und warum?**
Finden Sie typische Situationen und machen Sie auf einem Blatt Notizen wie im Beispiel.

1 ... wir sind vor 45 Minuten angekommen. Warum hat uns niemand vom Bahnhof abgeholt?
2 ... ihr wollt bei uns wohnen? Kein Problem, gern, ihr habt ja schon mal bei uns übernachtet.
3 ... du willst es nicht. Aber ich habe es gekauft! Ich habe schon alles unterschrieben!
4 ... hast du meine E-Mail nicht bekommen? Warum antwortest du nicht?
5 ... du hast gestern toll ausgesehen. Wann können wir uns wiedersehen?

SMS	Wer schreibt?	Wem?	Warum?
1	Großeltern	ihrer Tochter	die Großeltern sind am Bahnhof, es ist spät
2			

b **Welche SMS finden Sie nett/freundlich? Welche nicht? Ordnen Sie die Nachrichten aus a in die Tabelle.**
Ergänzen Sie dann die Partizipien und die Infinitive wie im Beispiel.

nette/freundliche Nachrichten	nicht so nette/freundliche Nachrichten
...	1 angekommen – ankommen, abgeholt – abholen

c **Schreiben Sie zu den Bildern nette oder nicht so nette SMS.**

Zug – abfahren   Regen – aufhören   Rechnung – bekommen   Spiel – gewinnen

1 Mein Zug ist gerade abgefahren. ...

d **Schreiben Sie mit den Verben drei eigene SMS.**

abgeben   anfangen   anrufen   aufmachen   erkennen   benutzen   besichtigen   besuchen   bezahlen
erlauben   gefallen   gewinnen   mitbringen   mitkommen   mitmachen   telefonieren   verkaufen   abholen

e **Gruppenarbeit. Lesen Sie Ihre Nachrichten vor. Die anderen erraten die Situation.**

f **Gedächtnistraining. Welche Nachricht aus a, c und d können Sie vielleicht einmal brauchen?**
Lernen Sie die Nachricht auswendig und sprechen Sie im Kurs.

AB C1 Einladungen

a **Lesen Sie und ordnen Sie zu.**

1 Einladung zur Hochzeit
2 Einladung zu einem Essen mit Kollegen und der Chefin
3 Einladung zu einem Verwandtenbesuch

B

Mailbox:
Sie haben
eine neue
Nachricht

Hallo Bernhard,
hier ist Tante Waltraud. Ich habe
dich so lange nicht gesehen. Ich möchte
dich am Samstag um 15:00 Uhr zu mir
zum Kaffee einladen. Ich hoffe, du hast
Zeit und kannst kommen.

A

Sehr geehrter Herr Kurzmann,

ich möchte einige Mitarbeiter zu einem
Abendessen einladen. Ich hoffe, Sie haben
am Donnerstag um 19:00 Uhr Zeit.
Das Essen findet bei mir zu Hause statt.

Mit freundlichen Grüßen
Miriam Wechselberger

C

Wir heiraten!

Das wollen wir mit Euch feiern!
Wann: Samstag, 12.10., 16:00 Uhr
Wo: Standesamt Eberswald
Ab 18:00 Uhr feiern wir im Gasthof zur Sonne.

Margit und Wolfgang

PS: Gebt uns bitte bis zum 20. 9. Bescheid.

b **Wann und wo findet das statt? Schreiben Sie.**

1 Hochzeit   2 Essen mit Chefin und Kollegen   3 Verwandtenbesuch

▶ 3|8 c **Hören Sie. Welche Einladung aus a passt zu dem Gespräch? Ordnen Sie zu. Ergänzen Sie dann.**

Einladung:

● Marlies, hast du das gehört? Emil hat eine Einladung
von _____ bekommen. Er hat mich gefragt,
_____ er die Einladung annehmen soll. Ich glaube,
er ist ein bisschen nervös.
■ Warum glaubst du das?
● Er hatte so viele Fragen. Er hat gefragt, _____ sie ihn
einlädt, _____ er anziehen soll, _____ er mitbringen
soll und _____ man nach Großdorf fährt. Und dann
hat er auch gefragt, _____ er früher kommen kann.

Indirekte Fragesätze
Emil: „Was soll ich mitbringen?"

Emil will wissen, was er mitbringen soll.
Emil: „Hat Marlies auch eine Einladung?"

Emil fragt, ob Marlies auch eine Einladung hat.

▶ 3|9 d **Schreiben Sie Emils Fragen aus c richtig. Hören Sie dann sein Gespräch mit Valentina und notieren Sie ihre Antworten.**

~~ich~~ annehmen ~~die~~ Einladung ~~Soll~~ ?   lädt mich sie Warum ein ?
soll ich anziehen Was ?   soll ich mitbringen Was ?
fährt man Wie lange nach Großdorf ?   kommen ich früher Kann ?

Valentina und Marlies

Emil
1 Soll ich die ...

Valentina
Ja, ...

▶ 3|10 e **Hören Sie. Welche Einladung aus a passt zu dem Gespräch? Ergänzen Sie die Fragen.**

Einladung:

1 _____ ?   Meine Tante. Sie will, dass ich sie am Samstag besuche.
2 _____ ?   Nein, ich will nicht.
3 _____ ?   Natürlich nicht, das kann ich ihr nicht sagen.
4 _____ ?   Ich habe ihr gesagt, dass du im Krankenhaus bist.
5 _____ ?   Sie hat gesagt, dass sie dich am Samstag besuchen will.

f Was will Marie von Bernhard wissen? Schreiben Sie indirekte Fragesätze.
   Was ist Bernhards und Maries Problem?

   1 Marie will wissen, wer ...
   2 Sie will wissen, ... Das Problem ist ...

g Was sagen die Personen? Schreiben Sie die direkten Fragen.
   Ordnen Sie dann die Einladungen aus a zu.

Frau Schönhuber möchte wissen,
wohin die Hochzeitsreise geht.
Wohin ...

Emils Kollegin Viktoria will
wissen, wie lange das Abendessen
bei der Chefin gedauert hat. ...

Melvin will wissen, ob es
beim Gasthof zur Sonne
einen Spielplatz gibt. ...

C2 Und jetzt Sie ...

a Partnerarbeit. Fragen und antworten Sie.

Fragen A
1 Bekommst du oft Einladungen?
2 Wer lädt dich ein?
3 Hat deine Chefin / dein Chef / deine Lehrerin /
  dein Lehrer dich einmal eingeladen?
4 Was bringst du mit?
5 Kommst du immer pünktlich?

Fragen B
1 Hast du schon einmal viele Gäste
  (drei oder mehr) eingeladen?
2 Waren deine Gäste pünktlich?
3 Haben die Gäste Geschenke mitgebracht?
4 Was habt ihr gemacht?
5 Hat jemand bei der Vorbereitung geholfen?

b Gruppenarbeit. Erzählen Sie, was Sie gefragt haben und was
   Ihre Partnerin / Ihr Partner geantwortet hat.

Ich habe gefragt, ob ...
Marco hat gesagt, dass ...

c Wählen Sie eine Situation aus und schreiben Sie eine Einladung
   wie in 1a an die passenden Personen.

   Was? Prüfung Hochzeit Umzug Geburtstag Führerschein Abendessen Party ...
   Wen? Eltern Freunde Verwandte Vermieter Kursleiter/in Chef/in Kollegen ...

   Sehr geehrte/r Frau/Herr ... / Liebe/r ... / Hallo ...
   Wir sind umgezogen. / Ich habe den Führerschein gemacht. / Ich habe die Prüfung bestanden. /...
   Deshalb möchten wir / möchte ich Sie/Dich/Euch (am .../ um ... Uhr) zu einem Abendessen / Mittagessen / zu einer Party ...
   *   bei mir zu Hause / im Restaurant / im Café ... einladen.*
   Wir hoffen / Ich hoffe, Sie haben / Du hast / Ihr habt am ... um ... Uhr Zeit und können/kannst/könnt kommen.
   Mit freundlichen Grüßen / Liebe Grüße / Herzliche Grüße / Viele Grüße ...

d Partnerarbeit. Sie haben von Ihrer Partnerin / Ihrem Partner die Einladung aus c bekommen.
   Haben Sie Zeit? Schreiben Sie eine Antwort. Sie können zusagen oder absagen.

   ..., vielen Dank für die Einladung.

   absagen
   Leider kann ich / können wir nicht kommen.
   Ich muss / Wir müssen ...
   Ich wünsche Ihnen/Euch/Dir viel Spaß /
   *   viel Glück / alles Gute*

   zusagen
   Ich komme / Wir kommen sehr gern.
   Soll ich / Sollen wir etwas mitbringen?
   Haben Sie / Hast Du / Habt Ihr einen Wunsch?
   Kann ich / Können wir bei den Vorbereitungen helfen?

GRAMMATIK

Verb

Perfekt – trennbare Verben

	Infinitiv	Partizip
regelmäßige Verben	aufhören	aufgehört
unregelmäßige Verben	anfangen	angefangen
Mischverben	mitbringen	mitgebracht

Perfekt – Verben auf *-ieren*

	Infinitiv	Partizip
regelmäßige Verben	diskutieren	diskutiert
	passieren	passiert*

* Perfekt mit *sein*: ... ist passiert

Perfekt – Verben mit Vorsilben *be-, er-, ent-, ge-, ver-, über-, unter-, (durch-, zer-, miss-)*

	Infinitiv	Partizip
regelmäßige Verben	besuchen	besucht
	erzählen	erzählt
	entschuldigen	entschuldigt
	gehören	gehört
	übernachten	übernachtet
unregelmäßige Verben	verlieren	verloren
	unterschreiben	unterschrieben
Mischverben	erkennen	erkannt

Satz

Nebensatz – Konjunktion *dass*

		Konjunktion		Satzende
Man schreibt seit 1600 v. Chr. Briefe.	Ich glaube,	dass	man seit 1600 v. Chr. Briefe	schreibt.
Die Möbel sind da.	Er hat gesagt,	dass	die Möbel da	sind.

Nebensatz – indirekter Fragesatz mit Fragewort

		Fragewort		Satzende
Erich: „Was soll ich mitbringen?"	Erich will wissen,	was	er mitbringen	soll.
Erich: „Warum lädt sie mich ein?"	Erich will wissen,	warum	sie ihn	einlädt.

Nebensatz – indirekter Fragesatz mit Konjunktion *ob* (Ja/Nein-Frage)

		Konjunktion		Satzende
Erich: „Hat Marlies auch eine Einladung?"	Erich fragt,	ob	Marlies auch eine Einladung	hat.

⦾ REDEMITTEL

etwas vermuten

Ich glaube / Ich bin sicher, dass ...
Ja, das glaube ich auch.
Nein, ich bin sicher / ich glaube, dass ...

sagen, was jemand gesagt hat

... möchte, dass ...
... fragt, ob/was/...
... hat gesagt, dass ...
... hat gefragt, ob/was/...

Mailbox-Nachrichten hinterlassen

Hallo ..., hier ist/spricht ...
Ich möchte/will/...
Kannst/Willst/Möchtest/... du (auch) ...
Hast du ... Zeit?
Bitte ruf zurück.

eine Einladung schreiben

Sehr geehrte/r Frau / Herr ... /
  Liebe/r ... / Hallo ...
Wir sind umgezogen. / Ich habe den
  Führerschein gemacht. / Ich habe die
  Prüfung bestanden. / ...
Deshalb möchten wir / möchte ich
  Sie/Dich/Euch (am ... / um ... Uhr)
  zu einem Abendessen / Mittagessen /
  zu einer Party ... bei mir zu Hause /
  im Restaurant / im Café ... einladen.
Wir hoffen / Ich hoffe, Sie haben / Du
  hast / Ihr habt am ... um ... Uhr Zeit
  und können/kannst/könnt kommen.
Mit freundlichen Grüßen / Liebe
  Grüße / Herzliche Grüße ... /
  Viele Grüße

zusagen

..., vielen Dank für die Einladung.
Ich komme / Wir kommen sehr gern.
Soll ich / Sollen wir etwas mitbringen?
Haben Sie / Hast Du / Habt Ihr einen
  Wunsch?
Kann ich / Können wir bei den
  Vorbereitungen helfen?

absagen

..., vielen Dank für die Einladung.
Leider kann ich / können wir nicht
  kommen.
Ich muss / Wir müssen ...
Ich wünsche Ihnen/Dir/Euch viel
  Spaß / viel Glück / alles Gute

Passt der
Rock?

Personen beschreiben

a   Denken Sie an drei Personen. Was ist für die Personen typisch?
Machen Sie Notizen. Was gefällt Ihnen (☺)? Was finden Sie nicht so gut (☹)?

→ Wie sieht die Person aus? jung/alt/groß/klein/…
Haare: blond/schwarz/dunkel/…/lang/kurz/…

→ Wie ist sie wann? lustig/glücklich/nervös/traurig/wütend/müde/böse/…

→ Was macht sie gern? wandern/Rad fahren/gut essen/…

(Maria) jung, Haare: braun, sehr kurz ☺, am Montag immer müde ☹, …

b   Lesen Sie. Unterstreichen Sie, was Nicole an ihrem Freund
Alexander gefällt und was ihr nicht gefällt.

Nicole: Ich kenne Alexander seit dem Kindergarten.
Alexander ist sehr groß. Seine Haare sind lang und
braun. Ich finde, er sieht wirklich gut aus. Er ist
lustig und reist gern. Das gefällt mir, denn ich reise auch gern.
Er arbeitet aber zu viel. Deshalb ist er manchmal sehr nervös.
Ich hoffe, dass er bald nicht mehr so viel arbeiten muss. Es ist
schön, dass Alexander mein Freund ist.

c   Schreiben Sie einen Text mit Ihren Ideen aus a und sprechen
Sie mit Ihrer Partnerin / Ihrem Partner.

Ich kenne Maria sehr gut /… / seit … Sie ist jung /… / nicht groß /…
Ihre Haare sind braun /… und sehr kurz /… Das gefällt mir gut /… Sie sieht
gut /… aus. Am Montag ist sie immer müde /… Das finde ich nicht gut /…

Sie lernen

– Personen und Dinge be-
  schreiben und vergleichen
– Einkaufsdialoge führen
– über Vorlieben sprechen
– Meinungen bewerten

Grammatik

– Vorsilbe un-
– Komparativ, Superlativ
– Vergleich
– Verben mit Dativ und
  Akkusativ (1)
– Konjunktiv II – höfliche
  Frage und Bitte
– Demonstrativpronomen
  der/das/die/dies-
– Fragepronomen welch-

Wortschatz

– Aussehen und Kleidung
– Persönlichkeit (1)

Das gefällt mir auch.

…finde ich auch nicht so gut.

AB **A1 Schönheitsoperationen**

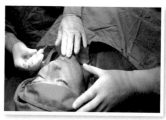

• Schönheitsoperation

a **Partnerarbeit. Was meinen Sie? Was sind Argumente für (+) oder gegen (−) eine Schönheitsoperation? Lesen Sie die Sätze und ordnen Sie zu.**

1 Schönheit ist heute sehr wichtig. Schönheitschirurgen versprechen, dass sie unser Aussehen „korrigieren" können.

2 Schönheitsoperationen sind nicht ungefährlich. Manchmal endet eine Operation schlecht.

3 Nach einem Unfall oder einer Verletzung kann oft nur der Schönheitschirurg helfen.

4 Manchmal bezahlt die Krankenversicherung Schönheitsoperationen.

5 Eine Schönheitsoperation kostet viel Geld.

Gegenteil		
gefährlich	↔	ungefährlich
glücklich	↔	unglücklich
zufrieden	↔	unzufrieden

▶ 3|11 b **Lesen Sie und hören Sie den Text. Wer war Solange Magnano?**

Wir machen Sie jünger, wir machen Sie schöner ...

Sie wollen anders aussehen? Sie wollen jünger aussehen? – Eine neue Haarfarbe oder das neue Kleid können da vielleicht helfen. Die Kleidungs- und Kosmetikindustrie verdient damit viel Geld. Schön-
5 heitsinstitute im Internet versprechen jetzt, dass auch die Medizin eine Hilfe sein kann. Ihre Nase gefällt Ihnen nicht? Ihr Schönheitschirurg kann das korrigieren. Sie sind unglücklich, denn Ihre Ohren sind zu groß oder zu klein? Die Medizin kann Ihnen
10 helfen. Ihr Gesicht sieht nicht mehr so jugendlich aus wie früher? Und Sie sind deshalb unzufrieden? Ihr Arzt macht sie jünger. Für einige tausend Euro ist fast alles möglich. Sein Wunschaussehen kann man kaufen. Mindestens 1 000 000 Schönheits-
15 operationen zählt man in Deutschland jedes Jahr. Doch die Operationen sind nicht ungefährlich. Die Argentinierin Solange Magnano war lange Zeit

Supermodel für viele internationale Modefirmen. Mit 38 Jahren möchte sie ihre Figur „korrigieren"
20 und geht zum Schönheitschirurgen. Doch bei der Operation gibt es ein Problem. Zwei Tage lang kämpfen[1] die Ärzte um Magnanos Leben, doch sie können sie nicht retten[2].
Zum Glück endet der Besuch beim Schönheitschirur-
25 gen nur selten so böse. Manchmal gibt es sogar gute Argumente für eine Operation. Nach einem Unfall oder nach einer schweren Verletzung kann oft nur der Chirurg helfen. Dann bezahlt in Deutschland auch die Krankenversicherung die Operation. Aber
30 Wünsche wie: „Können Sie meine Nase länger machen?", „Können Sie meine Ohren kleiner machen?" oder „Meine Beine gefallen mir nicht mehr, kann man sie nicht ein bisschen schlanker[3] machen?", akzeptieren die Versicherungen nicht.

[1] viel für oder gegen eine Sache tun [2] jmdm. helfen [3] schlank/dünn ↔ dick

c **Lesen Sie den Text noch einmal.**
Sind die Sätze richtig oder falsch? Kreuzen Sie an.

richtig falsch

1 Sie wollen besser aussehen? Nur die Medizin kann helfen.

2 Für Geld kann man sein Aussehen ändern.

3 Jeden Monat gibt es in Deutschland tausend Schönheitsoperationen.

4 Solange Magnano stirbt nach einer Schönheitsoperation.

5 Schönheitsoperationen sind immer falsch.

6 Manchmal muss man Schönheitsoperationen nicht selbst bezahlen.

▶ 3|12 d **Was meinen Sie? Wie denken die Deutschen über Schönheitsoperationen? Ordnen Sie zu und sprechen Sie. Hören Sie dann die Lösung.**

1 Sie sind absolut dagegen.
2 Sie sind absolut dafür.
3 Sie sind eher dagegen.
4 Sie sind eher dafür.

Ich denke, 12 Prozent sind absolut ...

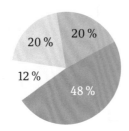

20 % 20 %
12 %
48 %

e **Wie denken Sie über Schönheitsoperationen? Sprechen Sie und machen Sie eine Statistik.**

für Schönheitsoperationen	///
gegen Schönheitsoperationen	/

Ich bin gegen / für ... / Ich bin dagegen / dafür. / Ich finde ... (nicht) gut.

AB **A2 Anders aussehen ...**

a Wünsche beim Schönheitschirurgen. Lesen Sie die Zeilen 30–34 im Text
noch einmal und ergänzen Sie die Sätze.

Komparativ
klein   kleiner

1 Können Sie <u>meine Nase</u> machen?
2 Können Sie <u>meine</u> machen?
3 _____ gefallen mir nicht mehr,
kann man sie nicht ein bisschen _____ machen?

b **Ergänzen Sie die Tabelle.**

besondere Formen:

	Komparativ			Komparativ			
weit	<u>weiter</u>			größer*			besser
eng	_____	kurz	_____				lieber
billig	_____	lang	_____		viel	mehr
freundlich	_____		_____	teurer**			
praktisch	_____		_____	dunkler			
hell	_____						

* bei kurzen Adjektiven oft $a \to ä$, $o \to ö$, $u \to ü$
** bei Adjektiven auf *-el/-er* kein *-e-*

▶ 3|13 c **Das Geschäft mit der Schönheit. Die Mode ist jedes Jahr anders.**
Ergänzen Sie die Texte mit Komparativen aus b**. Hören Sie dann und vergleichen Sie.**

Alles wird anders ...

Helle Farben sind in dieser Saison bei den Damen[1] out. Die Farben werden _____. Die Mäntel sind dieses Jahr wieder _____ und
sind nicht mehr so lang wie vor einem Jahr. Die Röcke[2] müssen nicht mehr
so eng sein und werden wieder _____. Auch die Hüte dürfen
5   wieder _____ sein. Behalten[3] Sie aber Ihren kleinen Hut aus dem
Vorjahr. Vielleicht ist er bald schon wieder in.
Bei den Herren werden die Hosen ein bisschen _____ und sind
nicht so kurz wie vor einem Jahr. Die Jacken sind _____ als im
Vorjahr: Sie haben wieder mehr Taschen. Dunkelgrau und schwarz
10 sind out, blau und grün sind in, die Farben werden also _____.
Leider muss man für die neue Mode auch mehr bezahlen, alles ist
_____ als vor einem Jahr.

[1] Frau   [2]   [3]

Die Mäntel sind so lang wie
vor einem Jahr.

Die Mäntel sind länger als
vor einem Jahr.

▶ 3|14 d **Ordnen Sie die Wörter wie im Beispiel zu.**
Hören Sie dann und sprechen Sie nach.

• Rock • ~~Hut~~ • Socken • Jacke • Kappe
• Bluse • Kleid • Handschuhe • Stiefel
• Anzug • Hose • Jeans • Hemd • Pullover
• ~~Mantel~~ • Schuhe • T-Shirt • Handtasche

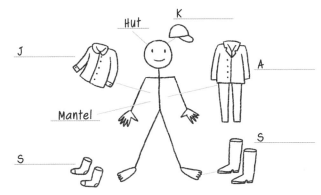

e **Partnerarbeit. Denken Sie an ein Kleidungsstück.**
Ihre Partnerin / Ihr Partner darf vier
Ja / Nein-Fragen stellen, dann muss sie / er
das Kleidungsstück erraten.

Trägt man das im ...?

Trägt man das Kleidungsstück im Winter / im Sommer / ...?
Ist es größer / billiger / teurer als ...?
Trägt man es lieber zu Hause / draußen / ...?
Tragen es nur Frauen / nur Männer / Frauen und Männer?
Trägt man es an den Füßen / Händen?
Ist es ein / eine ... / Sind es ...?

a **Sehen Sie die Fotos an und beantworten Sie die Fragen.**

1 Sehen Sie die Fotos A–E an. Was meinen Sie?
Wo sind die Personen?
2 Welche Kleidungsstücke sehen Sie auf den
Fotos C, D und E?

D

B

A

C

E

▶ 3|15 b **Hören Sie. Welches Problem hat der Verkäufer um 16:00 Uhr?**

Der Verkäufer braucht _____, aber _____ sind weg.

▶ 3|15 c **Hören Sie noch einmal. Was soll die Schneiderin
Frau Roth mit den Kleidungsstücken machen?
Ergänzen Sie die Sätze.**

kurz ~~eng~~ weit machen
machen machen zurückschicken

1 Würden Sie die Röcke enger ...
2 Könnten Sie die Hose ...
3 Würden Sie das Hemd ...
4 Könnten Sie die Pullover ...

Konjunktiv II – höfliche Frage und Bitte

Helfen Sie mir!   Würden/Könnten Sie mir helfen?
Gib mir die Tasche.   Würdest/Könntest du mir ...?
Gebt mir die Tasche.   Würdet/Könntet ihr mir ...?

---
geben/bringen + Dativ + Akkusativ
Ich gebe/bringe dir einen Pullover.
---

d **Lesen Sie die Sätze. Wie kann man es freundlicher sagen?**

1 Bringen Sie mir einen Kaffee!   ☺ Würden Sie mir einen Kaffee bringen?
2 Fahren Sie langsamer! Ich habe Angst.   ☺ Könnten Sie bitte ...
3 Geben Sie mir eine Fahrkarte!   ☺ _____
4 Mach das Fenster zu! Es ist kalt.   ☺ _____
5 Macht die Musik leiser. Ich möchte lesen. ☺ _____
6 Räum die Spülmaschine aus!   ☺ _____
7 Fahren Sie schneller. Ich habe es eilig. ☺ _____

e **Partnerarbeit. Was glauben Sie, wer sagt die Sätze in d? Notieren Sie die Sprecher
und schreiben Sie Dialoge wie im Beispiel.**

1 Chefin: Würden Sie mir einen Kaffee bringen?
Sekretärin: Gern. So wie immer, mit Milch und Zucker?

2 Kundin im Taxi: Könnten Sie bitte ...
Taxifahrer: ...

AB **B2 Könnte ich die Hose probieren?**

a **Der Verkäufer und seine Kunden um 15:15 Uhr. Ergänzen Sie.**

den Rock   Passt   eine Größe kleiner   Könnte   Größe   zu lang
weit   ~~die Hose~~   Könnte

1 • Könnte ich __die Hose__ probieren?
   ▪ Ja natürlich, welche _____?   Könnte ich ... probieren?
   • 56.
   ▪ Passt die Hose?
   • Nein, die ist _____. _____ ich sie ein bisschen kürzer haben?
   ▪ Einen Moment ...

2 ▲ _____ ich _____ probieren?
   ▪ Ja, natürlich. – _____ der Rock?
   ▲ Er ist ein bisschen zu _____. Haben Sie den auch _____?
   ▪ Einen Moment ...

▷ 3|16 b **Hören Sie und vergleichen Sie.**

c **Partnerarbeit. Machen Sie Dialoge wie in a.**

Schuhe   Pullover   Rock   Bluse   Hemd   Mantel   Handschuhe

- • *Könnte ich ... probieren?*
- ▪ *Welche Größe ...?* • *Größe ...*
  Ich weiß nicht, vielleicht Größe ...?
- ▪ *Hier ist Größe ...*
  Versuchen Sie mal Größe ...
- ▪ *Passt ...?* • *Ja, den/das/die nehme ich.*
  Nein. Der/Das/Die ist/sind zu groß/klein/...
  Der/Das/Die gefällt/gefallen mir nicht.
  Könnte ich den/das/die eine Nummer
  größer/kleiner/... haben?
  Könnten Sie mir den/das/die ...
  eine Größe kleiner/größer bringen?

- ▪ *Ja natürlich.*
  Einen Moment bitte.
  Sofort.
  Sehr gern.

bestimmter Artikel	Demonstrativ-pronomen
Nominativ	
der • Rock	• der
das • Hemd	• das
die • Bluse	• die
die • Schuhe	• die
Akkusativ	
den • Rock	• den
auch so: dies-	

B3 Einkaufen – viele Fragen

Partnerarbeit. Fragen und antworten Sie.
Machen Sie Notizen und berichten Sie in der Gruppe.

1 Wie oft kaufst du Kleidung?
2 Kaufst du gern Kleidung? Warum? Warum nicht?
3 Was sind deine Lieblingsgeschäfte?
4 Welche Kleidungsstücke kaufst du besonders gern?
5 Mit wem gehst du gern einkaufen?
6 Sind Rabatte oder Sonderangebote wichtig für dich?
7 Bestellst du Kleidung auch online oder aus Katalogen?
8 Kleidung auf Kredit kaufen, wie findest du das?

einmal/zweimal/... in der Woche / im Monat / im Jahr
oft/selten/...
Kleidung kaufen finde ich langweilig/schön/...
Ich kaufe gern/lieber ...
Kleidung macht mich froh / glücklich / ... ist mir egal.
Ich kaufe gern/lieber bei ... ein.
Ich gehe gern/lieber zu ...
Ich gehe gern mit ... / lieber allein einkaufen.
Ich kaufe gern allein ein.
Ich bestelle ... online /...

C

AB C1 Der erste Eindruck

▶ 3|17 a **Lesen Sie den Text. Sind die Sätze richtig oder falsch? Kreuzen Sie an.**

Der erste Eindruck

Sie sehen eine Person zum ersten Mal, und sofort wissen Sie:
„Diese Person finde ich sympathisch." Was ist wichtig für diesen
ersten Eindruck? Psychologen meinen: Am wichtigsten sind die
Kleidung (55 %) und die Stimme[1] (38 %). Am unwichtigsten ist,
was wir sagen (7 %).

	Komparativ	Superlativ
★☆☆	★★☆	★★★
wichtig	wichtiger	am wichtigsten
groß	größer	am größten

[1]

                                              richtig   falsch

1 Die Kleidung ist wichtiger als das Gesprächsthema.
2 Die Stimme ist wichtiger als die Kleidung.
3 Das Gesprächsthema ist so wichtig wie die Stimme.

b **Sehen Sie die Fotos an. Wie sehen die Personen aus? Wie finden Sie sie?**

Jürgen, 45 Jahre, 179 cm

Lasse, 25 Jahre, 181 cm

Mario, 31 Jahre, 195 cm

Verena, 23 Jahre, 176 cm

Nele, 28 Jahre, 171 cm

Dorit, 33 Jahre, 171 cm

intelligent   schön/hübsch/attraktiv
ruhig   sympathisch   interessant
lustig/komisch   optimistisch   energisch
aktiv   faul   müde   sportlich

● Ich finde, Nele sieht … aus.
■ Nein, ich finde sie nicht sehr …,
   sie sieht eher … aus.

c **Partnerarbeit. Vergleichen Sie die
Personen in b und machen Sie ein Quiz.**

● Wer ist jünger als …?
■ …
● Stimmt.
■ Wer ist so groß wie …?

d **Partnerarbeit. Beantworten Sie die Fragen 1–6.
Schreiben Sie neue Fragen. Finden Sie die Antworten.**

1 Wer ist am ältesten?
2 Wer ist am jüngsten?
3 Wer ist am größten?
4 Wer ist am sportlichsten?
5 Wer ist am lustigsten?
6 Wer ist am ruhigsten?

Wer ist am …

▶ 3|18 e **Finden Sie die Gegenteile in b und schreiben Sie. Hören Sie dann und vergleichen Sie.**

_____	pessimistisch	_____	nervös
_____	traurig	_____	langweilig
_____	hässlich	_____	unsympathisch
_____	dumm	_____	aktiv

AB **C2 Die Stimme ist am wichtigsten ...**

3|19-21 a **Hören Sie drei Gespräche. Über welche Themen sprechen die Personen? Kreuzen Sie an.**

☐ Sport ☐ Verkehrsmittel ☐ Einkaufen ☐ Urlaub ☐ Essen

3|19-21 b **Hören Sie noch einmal. Sind die Sätze richtig oder falsch?**

richtig falsch

1 Verenas Schuhe waren am billigsten. ☐ ☐
2 Jürgen glaubt, dass er mit dem Fahrrad am schnellsten ist. ☐ ☐
3 Nele möchte am liebsten nach Hause und lange schlafen.

c **Vergleichen Sie das Aussehen (1b) und die Stimmen (2a) der Personen.**

Verena Jürgen Nele

Verena sieht ... aus, aber ihre Stimme klingt ...

d **Partnerarbeit. Sprechen Sie und finden Sie Gemeinsamkeiten.**

1 Auto, Fahrrad, Zug – (fahren)
2 Sommer, Winter, Frühling, Herbst – (mögen)
3 Meer, Berge, Stadt – (mögen)
4 Bücher, Zeitschriften, Zeitung – (lesen)
5 Gemüse, Fleisch, Nudeln, Fisch – (essen)

Ich fahre lieber mit dem Auto als mit dem Fahrrad, aber am liebsten fahre ich mit dem Zug. Und du?

AB **C3 Das Thema der Woche**

a **Lesen Sie die Texte aus dem Chatroom. Über welche drei Themen schreiben die Personen? Welche Meinung haben sie? Notieren Sie.**

Webmaster:	**Neues Thema diese Woche: Alles wird anders ...**
puma:	In meiner Lieblingskneipe ist jetzt Rauchverbot, das nervt. Früher war es dort viel gemütlicher[1]. Ich treffe meine Freunde jetzt lieber zu Hause. Könntet ihr mir einen Tipp geben? Wo gibt's noch Kneipen ohne Rauchverbot?
lady p.:	Ich esse lieber in einem rauchfreien Restaurant. Das Essen schmeckt dort doch viel besser. Rauchverbote finde ich sehr gut.
tabor:	Viel schlimmer finde ich das Problem mit dem Verkehr. Es gibt immer mehr Radfahrer und deshalb ist man als Autofahrer jetzt in der Stadt viel langsamer als früher.
ariadne:	Die Umwelt und unsere Kinder sind dir egal, oder? Mehr Radfahrer und weniger Autos bedeuten: Die Stadt wird sicherer und die Luft wird besser. Ich finde das gut.
stefan:	Ich habe ganz andere Probleme! Ich verliere vielleicht bald meinen Job. Die Geschäfte gehen schlechter, hat mein Chef gesagt. Aber ich hoffe, dass es nicht so schlimm wird.
fröhlich:	Warte nicht zu lange. Such am besten gleich einen neuen Job. Der ist vielleicht interessanter als dein Job jetzt.

[1] nett und freundlich

Thema 1: _Rauchverbot_
puma: _____ lady p: _____
Thema 2: _____
tabor: _____ ariadne: _____
Thema 3: _____
stefan: _____ fröhlich: _____

b **Welche Meinungen finden Sie richtig (r), welche nicht (f)? Notieren Sie in a und sprechen Sie.**

Ich finde, dass lady p. recht hat, denn ...

c **Überlegen Sie sich zwei oder drei eigene Themen für den Chatroom. Schreiben Sie kurze Texte. Tauschen Sie dann die Texte im Kurs und schreiben Sie Antworten wie in a.**

GRAMMATIK

Verb

Konjunktiv II – höfliche Frage und Bitte

Imperativ	Konjunktiv II	
Helfen Sie mir!	Könnten Sie Würden Sie	
Hilf mir!	Könntest du Würdest du	mir helfen?
Helft mir!	Könntet ihr Würdet ihr	

Verben mit Dativ – *helfen, passen*

Dativ		
Ich helfe	dir.	
Passt	dir	der Rock?

Verben mit Dativ und Akkusativ (1) – *geben, bringen*

	Position 2	Dativ	Akkusativ	
Ich	gebe	dir	einen Pullover.	
Könntest	du	mir	einen Pullover	bringen?

Nomen

Demonstrativpronomen *der/das/die*

	Nominativ	Akkusativ	Dativ
Singular			
• maskulin	der	den	dem
• neutral	das		dem
• feminin	die		der
Plural			
•		die	denen

auch so: *dieser/...* und Fragepronomen *welcher/...*

Gut, dass du kommst. Es ist doch mehr als ein Paar geworden.

Adjektiv

Vorsilbe *un-*

	Gegenteil
gefährlich	ungefährlich
auch so: unglücklich, unzufrieden, unfreundlich	

Steigerung Superlativ

	Komparativ	Superlativ
wichtig	wichtiger	am wichtigsten

Steigerung Komparativ und Superlativ – besondere Formen

	Komparativ	Superlativ
groß	größer	am größten
kurz	kürzer	am kürzesten
lang	länger	am längsten
teuer	teurer	am teuersten
dunkel	dunkler	am dunkelsten
gut	besser	am besten
gern	lieber	am liebsten
viel	mehr	am meisten

Satz

Vergleich – *so ... wie*

Die Mäntel sind so lang wie vor einem Jahr.

Vergleich – *...-er als*

Die Mäntel sind länger als vor einem Jahr.

(((REDEMITTEL

die eigene Meinung sagen

Ich bin gegen/für ... / dagegen/dafür.
Ich finde, dass ... recht hat, denn ...

über Kleidung sprechen

Trägt man das Kleidungsstück im Winter / im Sommer /...?
Ist es größer/billiger/teurer als ...?
Trägt man es lieber zu Hause / draußen /...?
Tragen es nur Frauen / nur Männer / Frauen und Männer?
Ist es ein/eine ... / Sind es ...?

um einen Gefallen bitten

Würden Sie mir einen Kaffee /... bringen /...?
Könnten Sie bitte langsamer fahren /...?
Gern. / Kein Problem. / Nein, tut mir leid. / Sofort. / Sehr gern.

Kleidung kaufen

Könnte ich ... probieren?
Welche Größe ...?
Ich weiß nicht, vielleicht Größe ...?
Hier ist ... / Versuchen Sie mal Größe ...
Passt der Rock /...? | Ja, den ... nehme ich.

Nein. Der/Das/Die ist / sind zu groß/klein/...
Der/Das/Die gefällt / gefallen mir nicht.
Könnte ich den/das/die eine Nummer größer/kleiner/... haben?
Könnten Sie mir den/das/die ... eine Größe kleiner/größer bringen?
Ja natürlich. / Einen Moment bitte.

über Vorlieben sprechen

Ich fahre lieber mit dem Auto als mit dem Fahrrad, aber am liebsten fahre ich mit dem Zug. Und du/Sie?

Gehört der Hund Ihnen?

Natur- und Stadtmenschen

a Was mögen/machen Sie besonders gern? Kreuzen Sie an und notieren Sie. Sind Sie eher ein Stadtmensch oder eher ein Naturmensch? Ergänzen Sie.

X Garten	☐ meinen Balkon	☐ Hunde
☐ Fernsehen	☐ wandern	☐ ins Kino gehen
☐ allein sein	☐ mit Freunden ausgehen	☐ Berge
☐ Städte	☐ Blumen	☐ Zeitungen
☐ Park	☐ Einkaufszentren	☐ Tiere
☐ Autos	☐ ...	

Ich bin gern draußen, ich liebe Gartenarbeit, ...

Ich bin eher ein _____

b Lesen Sie. Was meinen Sie? Welche Wörter hat Mats in a angekreuzt?

Mats: Ich bin ein Stadtmensch. Ich wohne lieber in einer Wohnung mit Balkon als in einem Haus mit Garten. Ich bin nicht oft zu Hause. Meistens gehe ich aus und treffe Freunde. Ich mache gern Städtereisen. Das finde ich interessanter als einen Urlaub in den Bergen. Ich gehe nicht gern wandern. Ich sehe lieber einen Film im Kino. Viele Leute haben einen Hund. Sie müssen jeden Abend mit dem Hund spazieren gehen. Da sitze ich lieber auf meinem Sofa und sehe fern. Das gefällt mir besser.

c Schreiben Sie einen Text mit Ihren Ideen aus a und sprechen Sie mit Ihrer Partnerin / Ihrem Partner.

Ich bin ein Naturmensch. Ich bin lieber draußen im Garten als in der Stadt. Ich liebe die Gartenarbeit. ... ist für mich wichtiger/interessanter als ... Ich ... auch gern, aber ich ... nicht gern. Ich finde ... interessanter/... als ...

Ich bin ein Naturmensch. Ich bin ...

Hast du Haustiere?

SIE LERNEN

– über Gebote und Verbote sprechen
– etwas begründen
– etwas beschreiben

GRAMMATIK
– Präteritum von Modalverben
– Nebensatz mit *weil*

WORTSCHATZ
– Tiere
– Bürotechnik
– Pflanzen
– Landschaft

AB **A1 Im Zoo**

a **Ordnen Sie die Bildunterschriften den Bildern zu.**

A Der Düsseldorfer Zoo: Manche Tiere leben allein, manche Tiere leben in „Wohngemeinschaften".
B Pinguin, Robbe & Co. ist eine beliebte Fernsehsendung aus dem Düsseldorfer Zoo.

1 　2

• Elefant　• Tiger　• Pinguin
• Delfin　• Robbe　• Löwe
• Zebra　• Wildschwein　• Affe

▶ 3|22 b **Lesen Sie und hören Sie den Text. Wer sind Alma, Rada und Olli?**

Frühlingsgefühle, unhöfliche Jugendliche und eine unbeliebte Mitbewohnerin ...

Frau Peters Lieblingsfernsehserie spielt in Düsseldorf. Frau Peters sieht sie jede Woche. Heute erzählt die Sendung von Alma, Rada und Olli:
Alma ist unglücklich. Früher war sie jung und aktiv,
5　jetzt ist sie alt und oft müde. Früher konnte sie sehr gut sehen, jetzt sieht sie auf einem Auge fast gar nichts mehr. Sie durfte allein leben und hatte ihre Ruhe. Das hat ihr gut gefallen. Seit drei Wochen ist das anders. Zehn Jugendliche sind bei Alma einge-
10　zogen[1]. Sie sind unhöflich[2] und laut und das macht Alma nervös.
Auch Rada hat heute einen schlechten Tag, denn Selma ist wieder da. Vor drei Jahren ist Selma aus der Wohngemeinschaft ausgezogen und das war gut
15　so, denn Selma wollte immer die Chefin spielen.

Niemand durfte gegen ihren Wunsch etwas tun. Das konnte Rada nie akzeptieren. Ab heute ist Selma zurück ...
Olli findet den Tag toll. Der Frühling ist da, deshalb
20　darf er draußen spielen. Im Winter musste er meistens im Haus bleiben. Dort war es warm, aber auch langweilig, der Frühling gefällt ihm besser ... Frau Peters Lieblingssendung ist keine normale „Soap". Die Sendung spielt im Düsseldorfer Zoo. Alma, Rada
25　und Olli sind keine Schauspieler, sie sind Tiere. Alma ist eine Robbe und die unhöflichen „Jugendlichen" sind Pinguine. Rada und Selma sind Elefanten. Olli ist ein Wildschwein. Zoosendungen sind beliebt. Sie zeigen, dass Tiere im Alltag oft so fühlen
30　und handeln[3], wie wir. Und das mögen die Zuschauer.

[1] in eine Wohnung / ein Haus kommen und dort wohnen ↔ ausziehen　[2] unfreundlich ↔ höflich　[3] etwas tun

c **Wo und wie steht das im Text? Finden Sie die Zeile und vergleichen Sie im Kurs.**

1 Die Robbe Alma muss mit anderen Tieren zusammenleben.　Zeile: 9/10
2 Alma mag die neuen Tiere nicht.　Zeile: _____
3 Selma hat drei Jahre lang an einem anderen Ort gelebt.　Zeile: _____
4 Rada hatte Probleme mit Selma.　Zeile: _____
5 Olli muss nicht mehr im Haus bleiben.　Zeile: _____
6 Viele Zuschauer mögen Sendungen über Zootiere.　Zeile: _____

Zeile 9 und 10. Der Satz heißt:
„Zehn Jugendliche ..."

Präteritum: Modalverben	
können	
ich	konnte
du	konntest
er/es/sie	konnte
wir	konnten
ihr	konntet
sie/Sie	konnten
auch so:	
dürfen →	durfte
müssen →	musste
wollen →	wollte
sollen →	sollte
mögen →	mochte

d **Früher und heute. Ergänzen Sie die Sätze mit Informationen aus dem Text und ordnen Sie zu.**

Heute

1 Alma ist auf einem Auge fast blind.
2 Alma muss mit Pinguinen zusammenleben.
3 Rada ist unglücklich, denn Selma ist wieder da.
4 Olli darf draußen spielen.

Früher

b

a Alma _____ allein _____.
b Alma __konnte__ sehr gut __s_____.
c Im Winter _____ er im Haus _____.
d Selma _____ immer die Chefin _____.

AB A2 **Fotografieren im Zoo**

▶ 3|23 **Partnerarbeit. Lesen Sie und hören Sie.**
Sprechen Sie dann mit den Tiernamen aus 1a wie im Beispiel.

die Tiere / das Tier / ... – krank sein   zu viele Leute – da sein
ich – die Kamera nicht finden können   man – nicht fotografieren dürfen
der Akku – leer sein   man – die Tiere / das Tier / ... – nicht ansehen können   ...

● Konntest du die Zebras fotografieren?
■ Nein, leider. Die konnte ich nicht fotografieren. Der Akku war leer.

AB A3 **Knut**

▶ 3|24 a **Lesen Sie den Text und ergänzen Sie die Modalverben im Präteritum. Hören Sie dann und vergleichen Sie.**

Der Star im Berliner Zoo

Im Jahr 2006 __konnte__ der Berliner Zoo eine Sensation __melden__ (melden können):
Die Geburt von zwei Eisbären. Doch die Mutter _____ ihre beiden Jungen
nicht _____ (annehmen[1] wollen). Ein Eisbärenbaby _____ man
_____ (retten können). Der Tierpfleger Thomas Dörflein _____ es
5 mit der Flasche _____ (füttern[2] müssen). Knut war bald der Star im Zoo.
Millionen Besucher _____ den Eisbären _____ (sehen wollen).
Doch das Leben im Zoo war für Knut nicht einfach. Er _____ mit drei weib-
lichen Eisbären _____ (zusammenleben müssen). Bald _____ er auch
seinen „Vater" Thomas Dörflein nicht mehr _____ (sehen dürfen). Zu groß
10 und zu gefährlich war der Eisbär für den Tierpfleger geworden. Eisbären können
in Zoos 20 bis 30 Jahre alt werden, Knut _____ aber schon mit vier Jahren
_____ (sterben müssen). Er war sehr krank. Zookritiker meinen aber, dass
auch der Stress für den Bären zu groß war.

Tierpfleger Thomas
Dörflein und Eisbär
Knut

[1] akzeptieren   [2] einer Person / einem Tier Essen geben

b **Was passt? Lesen Sie den Text noch einmal und schreiben Sie Sätze. Zwei Lösungen passen nicht.**

seinen Eisbären nicht mehr besuchen   mit anderen Eisbären zusammenleben   den Star im Berliner Zoo sehen
Knut sterben   beide Eisbären annehmen   im Berliner Zoo bleiben   ihre beiden Jungen nicht annehmen

Knuts Mutter wollte ihre beiden Jungen nicht ... Millionen Zoobesucher wollten ...
Thomas Dörflein durfte ... Knut musste ... Mit vier Jahren musste ...

Nom.: der ● Bär
Akk.: den ● Bären

AB A4 **Früher und heute**

a **Was wollten Sie als Kind gern tun? Was durften Sie? Was durften Sie nicht?**
Schreiben Sie fünf richtige oder falsche Aussagen wie im Beispiel.

..., aber heute finde ich das ...
auch so: denn, und, oder ...

Tierpfleger / Zirkusdirektor / Astronaut / Popstar / ... werden
oft in Zoos gehen   am Abend lange wach bleiben
Auto / Motorrad fahren   im Fluss schwimmen
mit einem Ballon fahren   ein Instrument lernen
Schokolade essen   ...

Als Kind wollte ich Astronaut werden.
Als Kind durfte ich keine Schokolade essen.
Als Kind ...

b **Gruppenarbeit. Lesen Sie Ihre Sätze. Die anderen raten, welcher Satz eine Lüge ist.**

*Als Kind durfte ich keine
Schokolade essen.*

*Ich glaube nicht, dass du keine
Schokolade essen durftest.*

Stimmt, das ist falsch.

c **Was ist heute anders? Sprechen Sie.**

*Als Kind wollte ich Astronaut werden, aber
heute finde ich das nicht mehr interessant.*

AB **B1 Tiere im Büro**

▶ 3|25 **a** Sehen Sie die Fotos an und hören Sie den Dialog. Was möchte Judith Fleischer von ihrem Chef?

Weil mein Hund Trixi nicht allein zu Hause bleiben kann.

Judith Fleischer

Warum können Ihre Kinder nicht auf Trixi aufpassen?

Heinrich Winter,
Judith Fleischers Chef

▶ 3|25 **b** Hören Sie noch einmal. Wer sagt was? Ordnen Sie die Sätze zu.

1 Warum können Ihre Kinder nicht auf Trixi aufpassen?
2 Weil wir morgen die Pläne nach München schicken müssen.
3 … bringen Sie Ihren Hund doch einfach mit.
4 ~~Könnten Sie mir morgen nicht einfach freigeben?~~
5 ~~Weil mein Hund Trixi nicht den ganzen Tag allein zu Hause bleiben kann.~~

> **Nebensatz mit *weil***
> ● *Warum* können Sie mir nicht freigeben?
> ■ *Weil* ich Sie in der Firma brauche.

Judith Fleischer

Herr Winter, kann ich morgen freinehmen?

⑤

Weil sie morgen Nachmittag in der Schule sind.
④

Warum denn?

Heinrich Winter (Chef)

Warum wollen Sie denn freinehmen?

☐

Nein, morgen ist leider ganz schlecht.

☐
Wissen Sie was, ☐

▶ 3|26 **c** Hören Sie. Was denken die Kollegen über Judiths Hund? Ergänzen Sie die Sätze.

nicht gut für ihre/seine Allergie sein   hungrig sein
~~vielleicht gefährlich sein~~   sehr süß sein

1 Robert denkt, dass der Hund _vielleicht gefährlich ist_____ .
2 Helga denkt, dass der Hund _____ . Sie denkt, dass er
_____ .
3 Karin denkt, dass der Hund _____
_____ .

d   Partnerarbeit. Sie sind für einen Hund im Büro (A), Ihre Partnerin / Ihr Partner ist gegen
    einen Hund im Büro (B). Warum? Schreiben Sie Sätze.

> ein Hund ist schmutzig   ein Hund macht Spaß   ein Hund macht Sachen kaputt   ich habe Angst
> ich arbeite dann lieber   ein Hund riecht nicht gut   unsere Kunden lieben Hunde   ein Hund ist süß
> ein Hund stört bei der Arbeit   dann dürfen alle Kollegen ein Tier mitbringen   ...

A: Ich bin für einen Hund,   B: Ich bin gegen einen Hund,
   weil ein Hund _____   *weil* _____

e   Partnerarbeit. Trainieren Sie *Zuhören*.
    Diskutieren Sie mit Ihrer Partnerin / Ihrem Partner wie im Beispiel.
    Wiederholen Sie immer zuerst ihr/sein Argument. Sagen Sie erst dann Ihr Argument.

- ● Ich bin für einen Hund, weil ich dann lieber arbeite.
- ■ Du bist für einen Hund, weil du dann lieber arbeitest. Aber ich bin gegen einen Hund, weil ...
- ● Du bist gegen einen Hund, weil ... Aber ich bin für einen Hund, weil ...

AB **B2 Sabine, dein Hund hat das kaputt gemacht!**

▶ 3|27 a   Hören Sie und sprechen Sie nach.

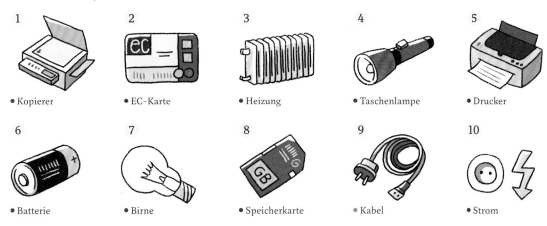

1	2	3	4	5
Kopierer	EC-Karte	Heizung	Taschenlampe	Drucker
6	7	8	9	10
Batterie	Birne	Speicherkarte	Kabel	Strom

b   Warum funktionieren die Dinge nicht? Was glauben Sie? Ordnen Sie zu.

1 Heizung   *e*   a Das Kabel ist kaputt.
2 Licht   ☐   b Die Speicherkarte ist voll.
3 Fotoapparat   ☐   c Die Birne ist kaputt.
4 EC-Karte   ☐   d Es ist kein Papier mehr da.
5 Kopierer   ☐   e ~~Es kommt kein Strom aus der Steckdose.~~
6 CD-Player   ☐   f Der PIN-Code ist falsch.
7 Taschenlampe   ☐   g Im CD-Player ist keine CD.
8 Drucker   ☐   h Die Batterien sind leer.

▶ 3|28 c   Hören Sie und vergleichen Sie.

▶ 3|29 d   Partnerarbeit. Hören Sie. Spielen Sie dann Dialoge mit den Beispielen aus b.

- ● Judith, könntest du die Taschenlampe reparieren?
- ■ Wieso?
- ● Weil dein Hund sie kaputt gemacht hat.
- ● Aber das stimmt doch gar nicht.
- ■ Und weshalb funktioniert sie dann nicht?
- ● Weil die Batterien leer sind.

> warum? =
> wieso? / weshalb?

C

AB C1 Der Wolf ist zurück.

▶ 3|30 a **Lesen Sie und hören Sie den Text. Beantworten Sie die Fragen.**

Die Schweiz liegt im Zentrum Europas. Das kleine Land hat acht Millionen Einwohner: Auf einem Quadratkilometer leben fast 200 Menschen, in den USA sind es nur 27. Die meisten Schweizer wohnen in den großen Städten im Norden: in Zürich, Bern, Basel
5 oder Luzern. Nur zehn Prozent leben im Süden. Das sind 800 000 Menschen. Im Süden liegen die Alpen. Seit einigen Jahren kommen Besucher aus Italien und Frankreich in die Süd-
10 schweiz: Wölfe sind über die Grenzen gewandert und leben hier, so wie vor hundert Jahren. Doch nicht alle Schweizer sind über die neuen Gäste glücklich.

• Wolf

1 Wie viele Einwohner hat die Schweiz? _____
2 Wie viele Menschen leben im Norden? _____
3 Woher kommen die Wölfe? _____

▶ 3|31, 32 b **Hören Sie. Was möchte die Tierschützerin Monika Bader? Was will der Bauer Urs Waldner?**

A

Monika Bader möchte, dass die Wölfe ...

B

Urs Waldner will, dass ...

▶ 3|31, 32 c **Hören Sie noch einmal und lesen Sie die Sätze. Wer sagt was? Ordnen Sie zu.**

A Monika Bader: _1,_____   B Urs Waldner: _____

1 ~~In den Bergen und Wäldern gibt es genug Platz für den Wolf.~~
2 Die Wölfe sind gefährlich.
3 Manchmal stirbt ein Schaf, aber die Bauern bekommen Geld für das Tier.
4 Manche Bauern mussten Hunde kaufen, die passen auf die Schafe auf.
5 Früher konnten wir gut schlafen, jetzt schlafen wir schlecht.
6 Die Bauern müssen ein Formular ausfüllen und unterschreiben, dann bekommen sie Geld für einen Hund.
7 Ein Hund ist zu teuer.

d **Soll es in der Schweiz wieder Wölfe geben?**
Was meinen Sie? Machen Sie Notizen und sprechen Sie im Kurs.

Ich finde, dass ...

Es soll Wölfe / keine Wölfe geben, weil ...

AB **C2 Tiere, Landschaften und Stimmungen**

▶ 3|33 **a** Ordnen Sie die Wörter den Bildern zu. Hören Sie dann und sprechen Sie nach.

Tiere: a • Schwein   b • Huhn   c • Pferd   d • Kuh   e • Katze   f • Vogel
Landschaft: a • Dorf   b • Strand   c • Tal   d • Feld   e • Wald
Pflanzen: a • Blatt   b • Birne   c • Tomate   d • Baum
Wetter: a • Wolke   b • Stern   c • Schnee   d • Mond

Tiere: 1   2   3   4   5   6

Landschaft: 1   2   3   4   5

Pflanzen: 1   2   3   4

Wetter: 1   2   3   4

b Partnerarbeit. Ordnen Sie die Wörter aus den Lektionen 1–10 den Kategorien in a zu.
Sie wissen nicht mehr, was ... bedeutet? Fragen Sie Ihre Partnerin / Ihren Partner.

• Garten   • Meer   • Blume   • Regen   • Stadt   • Sonne   • Obst   • Wein
• Gemüse   • Salat   • ~~Weg~~   • Apfel   • Kartoffel   • ~~Fisch~~   • Schaf   • Hund
• Autobahn   • Straße   • Fluss   • Berg   • See   • Wind

Tiere	Landschaft	Pflanzen	Wetter
der Fisch	der Weg	...	...
...	...		

Weißt du noch, was Fisch bedeutet?

Fisch? Nein, keine Ahnung.

Ja, ich glaube, Fisch heißt ...

▶ 3|34 **c** Sehen Sie die Bilder an und hören Sie. Welche Landschaft beschreibt die Person?
Kreuzen Sie an. Welche Stimmung passt zur Landschaft? Ordnen Sie zu.

1 glücklich   2 müde   3 wütend

d Beschreiben Sie die beiden anderen Landschaften aus c. Welche Stimmungen passen?

*Vor mir / Auf dem Bild sehe ich ... | Hinter / Neben / Über / Zwischen ... ist / sind ... | Vorne / Hinten / In der Mitte / ... sieht man ...
Vorne / Hinten kann man ... sehen. | ... liegt links neben ... / rechts neben ... | Es gibt ...*

e Wählen Sie ein Adjektiv. Zeichnen Sie dazu eine Landschaft mit den Motiven aus a und b.

traurig   glücklich   müde   durstig   lustig   zufrieden   wütend   nervös   ruhig

f Partnerarbeit. Beschreiben Sie Ihre Landschaft. Ihre Partnerin / Ihr Partner
errät das Adjektiv.

GRAMMATIK

Verb

Präteritum – Modalverben *müssen, können, wollen, dürfen*

	können	**müssen**	**dürfen**	**wollen**	**mögen**	**sollen**
ich	konnte	musste	durfte	wollte	mochte	sollte
du	konntest	musstest	durftest	wolltest	mochtest	solltest
er/es/sie	konnte	musste	durfte	wollte	mochte	sollte
wir	konnten	mussten	durften	wollten	mochten	sollten
ihr	konntet	musstet	durftet	wolltet	mochtet	solltet
sie/Sie	konnten	mussten	durften	wollten	mochten	sollten

Satz

Nebensatz – Konjunktion *weil*

	Konjunktion		Satzende
Ich bin gegen einen Hund,	weil	ich Angst	habe.

Konjunktion		Satzende	
Weil	ich Angst	habe,	bin ich gegen einen Hund.

warum/wieso/weshalb	Konjunktion		Satzende
Warum bist du gegen einen Hund?	Weil	ich Angst	habe.

Sätze verbinden

	Konjunktion	
Rada hat einen schlechten Tag,	denn	Selma ist wieder da.
Alma ist eine Robbe	und	die Jugendlichen sind Pinguine.
In Kevins Haus war es warm	aber	(es war) auch langweilig.
Judith Fleischer bringt ihren Hund mit	oder	(sie) bleibt zu Hause.
Die Sendung ist keine normale Soap	sondern	(sie ist) eine Sendung über Zootiere.

Nach *und, aber, oder, denn, sondern* → Aussagesatz

	Konjunktion	
Der Frühling ist da,	deshalb	darf er draußen spielen.

Nach *deshalb* → Aussagesatz mit Inversion

	Konjunktion		Satzende
Helga denkt,	dass	Sabines Hund süß	ist.
Melvin will wissen,	ob	es einen Spielplatz	gibt.
Erika möchte wissen,	wohin	die Hochzeitsreise	geht.

Nach *weil, dass* und indirekter Frage → Nebensatz

REDEMITTEL

über Wünsche sprechen

Als Kind wollte ich Astronaut werden, aber heute finde ich das nicht mehr interessant.

die eigene Meinung begründen

Ich bin für einen Hund, weil ein Hund ... ist.
Ich bin gegen einen Hund, weil ich Angst habe.

nützliche Sätze

Weißt du / Wissen Sie noch, was Fisch /... bedeutet?
Fisch /...? Keine Ahnung. | Ja, ich glaube, Fisch /... bedeutet ...

ein Bild beschreiben

Vor mir / Auf dem Bild sehe ich ...
Hinter/Neben/Über/Zwischen ... ist/sind ...
Vorne / Hinten / In der Mitte / ... sieht man ...
Vorne/Hinten kann man ... sehen.
... liegt links neben ... / rechts neben ... | Es gibt ...

über Gebote und Verbote sprechen

Als Kind durfte ich keine Schokolade essen / ...
Ich glaube nicht, dass du/Sie keine Schokolade essen durftest / durften.

Regnet
es morgen?

Rad fahren im Frühling

Pilze sammeln im Herbst

Schnee räumen im Winter

schwimmen im Sommer

Jahreszeiten

a Welche Jahreszeiten mögen Sie am liebsten? Welche Jahreszeiten mögen
Sie nicht? Warum? Machen Sie Notizen wie im Beispiel.

Frühling: warm ☺, Winterkleidung wegtun ☺, im Garten gibt es viel Arbeit ☹ ...
Sommer: im Büro ist es heiß ☹ ...
Herbst: die Wälder werden bunt ☺, Pilze sammeln ☺, es wird kalt ☹ ...
Winter: Schnee räumen ☹ ...

b Lesen Sie. Welche Jahreszeiten mögen die Personen? Warum?
Unterstreichen Sie die Antworten. Wo leben die Personen wohl? Kreuzen Sie an.

Dia: Der Sommer ist bei uns sehr warm, bis zu 40 Grad.
Das mag ich nicht. Da kann man erst am Abend aus dem Haus
gehen. Ich mag den Frühling am liebsten, da sind es oft schon
20 Grad und die Blumen sind wunderschön.
☐ Schweden   ☐ England   ☐ Spanien

Igor: Der Frühling und der Herbst sind sehr kurz. Die
wichtigsten Jahreszeiten sind der Sommer und der Winter.
Ich mag den Winter lieber als den Sommer. Da gehe ich mit
meinen Freunden zum Eisfischen.
☐ Italien   ☐ Russland   ☐ Griechenland

c Schreiben Sie einen Text mit Ihren Ideen aus a und sprechen Sie mit Ihrer Partnerin / Ihrem Partner.

Der Frühling/... ist bei uns am schönsten / sehr warm / kalt /...
Es sind ... Grad. Ich mag den ... am liebsten / lieber als den ... /... Das mag ich (nicht)/...

Der Frühling ist
bei uns ...

Und wie ist der ...?

SIE LERNEN

– über Urlaubsgewohnheiten
  sprechen
– gemeinsame Aktivitäten
  planen
– sagen, was stört

GRAMMATIK
– Präteritum
– Adjektivendung -ig
– Nebensatz mit wenn
– nominalisierte Verben
– Präpositionen (wohin)
  mit Akkusativ in, an
– Präposition aus
– Präposition durch

WORTSCHATZ
– Wetter

AB **A1** Wetterhexen und Hagelflieger

a **Ordnen Sie die Sätze den Bildern zu.**

1 In Deutschland kann man auf den Hausdächern manchmal Wetterhexen sehen. Sie zeigen, aus welcher Richtung der Wind kommt.
2 Die letzten Tage war es sehr heiß: Deshalb gibt es ein Gewitter, starken Regen und Hagel.
3 Dunkle Wolken sind am Himmel. Es gibt bald ein Gewitter. Die Hagelflieger müssen etwas gegen den Hagel tun.

A    B    C

▶ 3|35 b **Lesen Sie und hören Sie den Text. Beantworten Sie die Fragen.**

1 Warum waren die Winter vor 300 Jahren so kalt?
2 Kann Johannes Sailer etwas gegen den Hagel tun?

Von Wetterhexen und Hagelfliegern

In Deutschland kann man auf manchen Hausdächern Wetterhexen sehen. Die kleinen Figuren aus Metall zeigen, aus welcher Richtung der Wind kommt. Wir finden die Metallfiguren hübsch, aber
5 vor 300 Jahren hatten die Menschen Angst vor Wetterhexen. Im 16. und 17. Jahrhundert waren die Winter in Europa sehr kalt, und es gab kühle[1] Sommer mit viel Regen und starken Gewittern. Heute wissen die Experten, dass es damals in Europa eine
10 „kleine Eiszeit" gab. Doch vor 300 Jahren wussten die Menschen das nicht. Die Bauern glaubten, dass Frauen aus ihrem Dorf das schlechte Wetter machten. Diese Frauen lebten gefährlich. Nach einem Gewitter waren oft Häuser, Felder und Wiesen
15 kaputt, und die Menschen waren wütend. Deshalb kamen die „Wetterhexen" sehr oft vor Gericht[2]. Heute glaubt niemand, dass Wetterhexen unser Wetter machen. Aber wir hoffen, dass wir mit Chemie und Technik das Wetter ändern können. Johannes

20 Sailer ist Hagelflieger von Beruf. Um 16:00 Uhr bekommt er den Anruf von der Wetterstation. Dreißig Minuten später sitzt er in seinem Flugzeug. Vor zwei Stunden war es noch heiß und schön. Doch jetzt sind plötzlich dunkle Wolken da. Die Experten
25 haben Angst, dass es Hagel gibt. Der Hagel ist gefährlich, denn Hagelkörner werden oft so groß wie Hühnereier. Deshalb bringt Johannes Sailer ein chemisches Mittel zu den Hagelwolken und verteilt[3] es dort. Man hofft, dass die Hagelkörner so kleiner
30 werden. Eine Stunde dauert sein Flug. Dann sitzt er wieder in seinem Auto. Jetzt ist das Gewitter da, es donnert und blitzt. Bald klopft[4] es auf Johannes Sailers Autodach. „Pling ... pling, pling ... pling, pling, pling." Zuerst leise, dann immer lauter.
35 Die Hagelkörner sind zum Glück klein. Ob sie auch so klein bleiben und ob er den Hagel wirklich ungefährlich machen konnte, weiß Johannes Sailer aber noch nicht.

[1] nicht warm, nicht kalt   [2]   [3] etwas an verschiedene Orte bringen   [4]

aus (ohne Artikel)
aus Metall

c **Ergänzen Sie die Fragen. Ordnen Sie dann die richtigen Antworten zu.**

wütend   leise   ~~Wetterhexen aus Metall~~   gefährlich   im 16. und 17. Jahrhundert   die Wetterexperten

1 Warum gibt es auf manchen Dächern __Wetterhexen aus Metall__ ?   d
2 Warum war das Wetter _____ schlecht?
3 Warum waren die Bauern nach einem Gewitter _____ ?
4 Warum ist Hagel _____ ?
5 Warum haben _____ Johannes Sailer angerufen?
6 Warum klopft es _____ auf Johannes Sailers Autodach?

a Weil die Hagelkörner klein sind.   b Weil er Hagelflieger ist.   c Weil ihre Häuser und Felder kaputt waren.
d ~~Weil sie den Menschen gefallen.~~   e Weil es eine kleine Eiszeit gab.   f Weil Hagelkörner manchmal sehr groß sind.

AB A2 Früher und heute

a Lesen Sie den Text von Zeile 1 bis 16 noch einmal.
Suchen Sie die Verben im Präteritum und ergänzen Sie die Tabelle.

Infinitiv	Präteritum	Infinitiv	Präteritum
haben	hatten	glauben	
sein		machen	
geben		leben	
wissen		kommen	

b Unregelmäßige Verben im Präteritum. Wie heißt wohl der Infinitiv? Ordnen Sie zu.

Infinitiv: a nehmen b trinken c ~~sprechen~~ d schreiben e werden f fahren g finden h essen

Präteritum: 1 sprach c 2 schrieb 3 fuhr 4 fand 5 trank 6 aß 7 nahm 8 wurde

AB A3 Wetter

a Ordnen Sie die Nomen zu.

a • Wind   b • Wärme   c • Sonne   d • Hitze   e • Wolke   f • Nebel   g • Sturm
h • Kälte   i • Regen   j • Schnee   k • Hagel   l • Gewitter   m • Temperatur

1 Es ist sonnig.
2 Es regnet.
3 Es schneit.
4 Es ist neblig.

5 Es ist windig.
6 Es hagelt.
7 Es donnert
   und es blitzt.

8 Es stürmt.
9 Es ist heiß.
10 Es ist kalt.
11 Es ist warm.

12 Es sind 18 Grad.
13 Es ist bewölkt.

3|36 b Das Wetter wird anders. Was passt? Ordnen Sie A und B zu ( ) und ergänzen Sie Wörter aus a.
Hören Sie dann und vergleichen Sie.

1 A Jetzt   ~~B Vor ein paar Minuten~~   _B_ gab es ein _Gewitter_ . _A_ scheint wieder die _Sonne_ .
2 A Im Dezember und Januar   B Im Februar   __ gibt es viel _Sch_____ . __ schneite es kaum.
3 A Jetzt   B Am Morgen   __ gab es noch Nebel. __ sind keine _W_____ am Himmel.
4 A Jetzt   B Zuerst   __ kamen die Wolken. __ _re_____ und _st_____ es.
5 A Heute   B Gestern   __ wurde es am Abend _kühl_ . __ bleibt es w_____ .

3|37, 38 c Hören Sie die Wetterberichte.
Kennen Sie die Jahreszeit?
Schreiben Sie.

Wetterbericht 1: ...
Wetterbericht 2: ...

3|37, 38 d Hören Sie noch einmal. Wie war das Wetter gestern? Wie ist das Wetter heute?
Kreuzen Sie an und ergänzen Sie die Temperaturen.

Wetterbericht 1	gestern:	Schnee	Sonne	Wind, _minus 2_ Grad
	heute:	Schnee	Sonne	Wind,_____ Grad
Wetterbericht 2	gestern:	Nebel	Sonne	Gewitter,_____ Grad
	heute:	Nebel	Sonne	Gewitter,_____ Grad

Es regnet.
Es gibt viel Schnee.

e Partnerarbeit. Welches Wetter mögen Sie / mögen Sie nicht? Ordnen Sie zu.
Sprechen Sie dann.

Schnee   Sonne und Hitze   Wind   Gewitter   Hagel   ~~Nebel~~   Sturm   Regen und Kälte

gefällt mir sehr gut   ist o.k.   mag ich nicht

...   ...   Nebel, ...

• Nebel mag ich überhaupt nicht.
▪ Ich auch nicht. Bei Nebel bleibe ich am
  liebsten im Bett.

B1 Urlaubsplanung

a   Partnerarbeit. Lesen Sie den Text. Haben Sie mehr oder weniger Urlaub als die Deutschen?
Sprechen Sie im Kurs.

In Deutschland haben Arbeiter und Angestellte im Durchschnitt[1] 30 Tage Urlaub im Jahr.
40 Prozent verbringen den Urlaub im Heimatland, viele machen Urlaub am Meer,
in den Bergen oder machen Städtereisen.

[1] ∅

Ich habe vier Wochen Urlaub.
Wie viel ...?

Ich habe zwei Monate
Sommerferien. Und wann ...

b   Partnerarbeit. Machen Sie ein Interview (Fragen 1–4). Erzählen Sie dann im Kurs.

1 *Wie viel Urlaub/Ferien hast du im Jahr?*   *Ich habe ... Tage/Wochen Urlaub/Ferien.*
2 *Wann hast du Urlaub/Ferien? / Wann machst du Urlaub?*   *Ich habe/mache (immer) im ...*
                                                            Ich habe vom ... bis ... Urlaub/Ferien.
                                                            Am liebsten nehme ich im Sommer/... Urlaub.
3 *Was machst du in den Ferien / im Urlaub?*   *Ich bleibe (am liebsten) zu Hause.*
                                                            Ich fahre/fliege nach ... / zu ...
4 *Was ist für dich im Urlaub / in den Ferien wichtig?*   *Das Wetter ist wichtig / nicht wichtig.*
                                                            Ich mag/brauche viel Sonne / ...

... hat fünf Wochen Urlaub
im Jahr. Sie/Er ...

▶ 3|39 c   Sehen Sie das Foto an und hören Sie. Wann macht Bettina dieses Jahr Urlaub?

Die Chefin hat gesagt,
dass wir die Urlaubsplanung
machen sollen.

Simon   Bettina

Wenn es im Sommer sehr heiß
ist, möchte ich ans Meer fahren.

- -
Nebensatz mit *wenn*

Es ist sehr heiß. Ich möchte ans Meer fahren.

Wenn es sehr heiß ist, (dann) möchte ich ans Meer fahren.

Ich möchte ans Meer fahren, wenn es sehr heiß ist.

▶ 3|39 d   Hören Sie noch einmal. Was passt? Ergänzen Sie.
Was sagt Bettina (B), was sagt Simon (S)? Ordnen Sie zu.

1 ... wenn du deinen Urlaub später nimmst.   2 ... nehme ich meinen Urlaub doch lieber im Sommer.
3 ~~... möchte ich ans Meer fahren.~~   4 ... möchte ich lieber arbeiten.   5 ... müssen wir die Firma schließen.
6 ... wenn das Wetter im Herbst wieder so schön ist.

1 __B__ : Wenn es im Sommer sehr heiß ist, __möchte ich ans Meer fahren.__
2 _____ : Es ist auch o. k., _____
3 _____ : Wenn es im August regnet, _____
4 _____ : Wenn alle im August Urlaub nehmen, _____
5 _____ : Ich kann eine Woche wandern gehen, _____
6 _____ : Wenn es diesen Winter wieder keinen Schnee gibt, _____

AB B2 Gemeinsame Aktivitäten planen

a **Welche gemeinsamen Aktivitäten planen die Personen? Welche Probleme gibt es vielleicht?**
Ordnen Sie zu. Schreiben Sie *wenn*-Sätze wie im Beispiel.

Plan: Wir würden gern gemeinsam …

1 in der Firma zu Mittag essen. **b**
2 mit Freunden eine Grillparty machen.
3 am Wochenende nach London fliegen.
4 für eine Prüfung lernen.
5 den Chef fragen, ob wir Urlaub nehmen können.
6 Tennis spielen.

Problem: Was machen wir, …

a wenn / keine Zeit / haben / die Freunde?
b ~~wenn / geschlossen / die Kantine / ist?~~
c wenn / wir / nicht verstehen / die Prüfungsfragen?
d wenn / bekommen / wir / keinen Urlaub?
e wenn / schlecht / das Wetter / ist?
f wenn / wir / bekommen / keine billigen Tickets?

1 b: Was machen wir, wenn die Kantine geschlossen ist?
2 : Was machen wir, wenn …
3 …

▶ 3|40 **b** **Lesen Sie und hören Sie den Dialog.**

● Britta, essen wir gemeinsam zu Mittag?
■ Ja gern. Wann denn?
● Um halb zwei?
■ Und was machen wir, wenn die Kantine schon geschlossen ist?
● Dann essen wir in der Pizzeria.
■ Gut.

c **Partnerarbeit.**
Sprechen Sie wie in b
mit den Situationen aus a.

…, machen wir gemeinsam mit Freunden eine Grillparty?

Ja gern, …

Und was machen wir, wenn …?

AB B3 Es stört mich, wenn …

▶ 3|41 **a** **Hören Sie. Was stört Veronika, was stört Leonard? Schreiben Sie.**

jemand ihre/seine Getränke aus dem Kühlschrank nehmen   es am Wochenende regnen
viele Besucher im Museum sein   niemand Geschirr spülen

Es stört Veronika, wenn …
Es stört Leonard, wenn …

b **Was stört Sie ☹? Was stört Sie nicht ☺? Schreiben Sie Sätze wie im Beispiel.**

immer zu spät kommen   beim Essen telefonieren   nicht zuhören   immer seine Termine vergessen
Chaos in seiner Wohnung haben   immer schimpfen   schmutzige Kleidung tragen   beim Essen rauchen
alles besser wissen   schmutzige Fingernägel haben   mit vollem Mund sprechen   immer in Eile sein
immer (sehr) ängstlich sein   nicht tolerant sein   sehr faul sein   zu schnell Auto fahren   …

☹: Es stört mich, wenn jemand zu schnell Auto fährt.
☺: Es stört mich nicht, wenn jemand Chaos in seiner Wohnung hat.

> essen → das • Essen

c **Partnerarbeit. Fragen Sie und antworten Sie wie im Beispiel.**
Berichten Sie dann im Kurs.

beim Essen telefonieren ≈
essen und auch telefonieren

● Es stört mich, wenn jemand zu schnell Auto fährt. Und dich?
■ Nein, mich nicht. Mich stört es, wenn jemand beim Essen telefoniert. Und dich?
● Ja, das stört mich auch. Es stört mich nicht, wenn jemand Chaos in seiner Wohnung hat.
■ …

Es stört uns, wenn jemand beim Essen telefoniert.

C

Das Wetter in den deutschsprachigen Ländern

▶ 3|42 a **Lesen Sie und hören Sie den Text. Warum ist Anita Pöschl am Wochenende oft nicht zu Hause?**

Das Wetter macht manchmal Probleme ...

Anita Pöschl ist Fernfahrerin. Es gibt nicht viele Frauen unter den Fernfahrern.
Bis zu 240 Stunden ist sie im Monat unterwegs, das finden ihre Freunde und die
Familie nicht gut. Doch Anita gefällt ihr Beruf. 470 PS hat ihr LKW. Mit ihm ist sie
zwischen Italien und Finnland, zwischen Polen und Irland in ganz Europa unter-
5 wegs, das ganze Jahr. „Ich fahre gern durch Deutschland", sagt sie, „mir gefällt das
Land. Ich bin gern in den Alpen und an den Seen im Alpenvorland. Ich mag aber
auch die deutschen Städte und das Meer. Im Sommer mache ich mit meiner Familie
oft an der Ostsee Urlaub."
Nur das Wetter macht manchmal Probleme. „Ich verstehe, dass die Skifahrer auf
10 den ersten Schnee im Winter warten", meint sie. „Wenn man mit 40 Tonnen[1]
unterwegs ist, sind glatte[2] Straßen aber nicht so toll. Da steht man dann meistens
im Stau[3]." Auch Gewitter und Starkregen auf der Autobahn mag Anita nicht. Wenn
das Wetter verrücktspielt[4], dann steht alles. Dann schafft[5] sie es am Wochenende
oft nicht mehr nach Hause ...

Anita Pöschl ist Fernfahrerin.
Sie mag ihren LKW.

[1] 1 t = 1000 kg   [2]   [3] 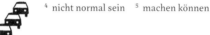   [4] nicht normal sein   [5] machen können

durch + Akk.
durch Deutschland
durch den • Wald

b **Lesen Sie den Text noch einmal und beantworten Sie die Fragen.**

1 Warum hat Anita Pöschl kaum Zeit für ihre Freunde?
2 Warum fährt Anita Pöschl gern durch Deutschland?
3 Welches Wetter mag Anita Pöschl nicht? Warum?

Nicht immer spielt das Wetter mit ...

a **Was passt? Ergänzen Sie die Sätze (a–d) und ordnen Sie sie den
Bildunterschriften (1–4) zu.**

fallen
du fällst, er/es/sie fällt

1 Skifahren in den Alpen   2 Rafting auf einem Fluss   3 Strandsegeln an der Nordsee   4 Wandern in den Bergen

in den Flüssen   ~~in den Bergen~~   an der Nordsee   in den Alpen

a Wenn das Wetter ___in den Bergen___ wechselt,
muss man in einer Hütte Schutz suchen.
b Wenn es im Herbst und Winter _____ Sturm gibt,
sind die Strände gesperrt.
c Wenn viel Schnee _____ fällt,
können keine Autos auf den Bergstraßen fahren.
d Wenn es im Frühling _____ Hochwasser gibt,
wird Rafting gefährlich.

▶ 3|43 b **Anita Pöschl ist in ihrer Firma in München.
Hören Sie und finden Sie die Routen auf der Karte.**

▶ 3|43 c **Was passt? Ergänzen Sie. Hören Sie dann noch einmal und vergleichen Sie.**

in die Alpen   in den Norden   in die Schweiz   ans Mittelmeer

1 ● Es geht _____. Du musst nach Berlin und dann
nach Dänemark.

■ O. k., dann fahre ich über Nürnberg. Ich hoffe, es gibt keine Staus.

2 ● Du musst zuerst _____ und dann von Innsbruck
weiter _____, nach Italien.

■ In den Alpen schneit es seit gestern. Hoffentlich gibt es keine
Probleme auf der Autobahn.

3 ● Du musst morgen nach Bern.

■ _____? Das passt gut, da bin ich am Abend zurück.

> **Wohin?** *in/an* + Akkusativ
> • in den / an den
> • in das (= ins) / an das (= ans)
> • in die / an die
> • in die / an die

d **Partnerarbeit. Beide Partner zeichnen
in die Karte drei Stauschilder ein.
Ergänzen Sie und sprechen Sie wie im Beispiel.**

Sie sind in München. Sie möchten in den Süden / in den Norden ...

1 in _____ • Schweiz
2 an **den** • Zürichsee
3 in _____ • Alpen
4 **ans** _____ • Mittelmeer
5 an _____ • Atlantik
6 an _____ • Rhein (bei Köln)
7 an **die** _____ • Nordsee/Ostsee
8 in _____ • Niederlande

● Ich muss in den Norden an die Nordsee.
■ Vorsicht. Bei Nürnberg ist ein Stau. Fahr lieber
über Frankfurt. Ich möchte in den Süden ans ...
● Vorsicht. Bei ...

C3 Wetterrekorde in ...

▶ 3|44 a **Hören Sie das Interview mit einer Wetterexpertin über
Wetterrekorde. Wo hat man was gemessen? Kreuzen Sie an.**

b **Wie viel hat man gemessen? Hören Sie
noch einmal und ergänzen Sie.**

Wetterrekorde

Wo hat man gemessen?	Was hat man gemessen?	
La Brevine (CH)	Temperatur	Regen/Schnee
Grono (CH)	Temperatur	Regen/Schnee
Bodensee (D, CH, A)	Temperatur	Regen/Schnee
Sonnblick (A)	Temperatur	Regen/Schnee

Wie viel hat man gemessen?

_____ °C / _____ l pro m² / _____ m
_____ °C / _____ l pro m² / _____ m
_____ °C / _____ l pro m² / _____ m
_____ °C / _____ l pro m² / _____ m

c **Partnerarbeit. Wie ist das Wetter in Ihrem Heimatland /
Ihrem Lieblingsland? Fragen und antworten Sie.**

1 Wie ist das Wetter im Norden, im Süden, im Osten, im Westen?
2 Wo ist es am kältesten, am wärmsten?
3 Wo gibt es am meisten Regen oder Schnee?
4 Gibt es Wetterrekorde? Was machen die Menschen dann?

messen
du misst / er misst

Größe/	• Zentimeter (cm)
Höhe:	• Meter (m)
Fläche:	• Quadratmeter (m²)
Menge:	• Milliliter (ml)
	• Liter (l)

Verb

Präteritum

regelmäßige Verben (Präteritum mit -t-)		Präsens	Präteritum
	ich	glaube	glaubte
	du	glaubst	glaubtest
	er/es/sie	glaubt	glaubte
	wir	glauben	glaubten
	ihr	glaubt	glaubtet
	sie/Sie	glauben	glaubten
unregelmäßige Verben*		Präsens	Präteritum
	ich	komme	kam
	du	kommst	kamst
	er/es/sie	kommt	kam
	wir	kommen	kamen
	ihr	kommt	kamt
	sie/Sie	kommen	kamen
Mischverben (Präteritum mit -t-)**		Präsens	Präteritum
	ich	bringe	brachte
	du	bringst	brachtest
	er/es/sie	bringt	brachte
	wir	bringen	brachten
	ihr	bringt	brachtet
	sie/Sie	bringen	brachten

*auch: geben – gab, schreiben – schrieb, fahren – fuhr, werden – wurde

**auch: wissen – wusste, erkennen – erkannte

Nomen

nominalisierte Verben

essen	das • Essen
gehen	das • Gehen
schlafen	das • Schlafen

Präposition

lokal *(wohin?)* – Wechselpräpositionen *in, an* + Akkusativ

Singular		
• maskulin	in den Süden	an den Bodensee
• neutral	in das (ins) Tal	an das (ans) Meer
• feminin	in die Stadt	an die Ostsee
Plural		
•	in die Berge	an die Osterseen

lokal *(wohin?)* – *durch* (+ Akkusativ)

Singular	
• maskulin	durch den Wald
• neutral	durch das (durchs) Tal
• feminin	durch die Stadt
Plural	
•	durch die Städte

ohne Artikel bei Ländernamen/Städtenamen
durch Deutschland, durch Mannheim

modal – *aus* + Nullartikel

aus • Metall / …

Adjektiv

Wortbildung mit *-ig*

der Wind	windig
die Sonne	sonnig
der Nebel	neblig

Satz

Nebensatz – Konjunktion *wenn*

	Konjunktion		Satzende
Ich möchte ans Meer fahren,	wenn	es sehr heiß	ist.

Konjunktion	Satzende	
Wenn	es sehr heiß ist,	möchte ich ans Meer fahren.

REDEMITTEL

über Urlaubsgewohnheiten sprechen

Wie viel Urlaub/Ferien hast du/haben Sie im Jahr?
Ich habe/mache (immer) im … Urlaub. / Ich habe vom … bis … Ferien/Urlaub. / Am liebsten nehme/mache ich im Sommer/… Urlaub.
Was machst du/machen Sie in den Ferien/im Urlaub?
Ich bleibe (am liebsten) zu Hause. / Ich fahre/fliege nach … / zu …

gemeinsame Aktivitäten planen

…, essen wir gemeinsam zu Mittag?
Ja gern. Wann denn?
Um halb zwei?
Und was machen wir, wenn die Kantine schon geschlossen ist /…?
Dann essen wir in der Pizzeria / …
Gut.

sagen, was stört

Es stört mich/uns, wenn jemand beim Essen telefoniert /… Und dich/Sie?
Nein, mich nicht.
Ja, das stört mich auch.

über das Wetter sprechen

Wo ist es in Ihrem Heimatland am kältesten / am …?
Im Norden/Süden ist es bei uns am kältesten /…

Was würdest du jetzt gern machen?

Das eigene Zimmer, die eigene Wohnung

a Wie war Ihr erstes Zimmer / Ihre erste Wohnung?
Zeichnen Sie eine Skizze und machen Sie Notizen.
Wie war Ihre Lebenssituation? Was waren Ihre Pläne/Wünsche?

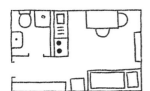

Wohnung, klein, im Sommer heiß,
bei Regen nass, ein paar Möbel
Beruf: Kellnerin
Wünsche und Pläne: Lehrerin werden

b Lesen Sie. Warum hat Livia nur ein Jahr in ihrer ersten Wohnung gewohnt?

Livia: Meine erste Wohnung war wirklich sehr klein und ich hatte nur ein Zimmer, eine Küche und ein Bad. Deshalb hatte ich auch nur ein paar Möbel. Im Sommer war es sehr heiß, weil die Wohnung direkt unter dem Dach war. Wenn es geregnet hat, mussten alle Fenster geschlossen sein, sonst war das ganze Zimmer nass. Damals habe ich in einem Hotel ein Praktikum gemacht, ich wollte aber immer Lehrerin werden. Deshalb bin ich ein Jahr später nach Bern gezogen.

c Schreiben Sie einen Text mit Ihren Ideen aus **a** und sprechen Sie mit Ihrer Partnerin / Ihrem Partner.

Meine erste Wohnung war … / Ich hatte keine Wohnung, nur ein Zimmer /…
Das erste Zimmer war … Ich hatte … Wenn …, konnte man / musste ich …
Ich habe/bin damals … Ich wollte … Das habe ich später auch
gemacht / nicht gemacht. Ich wollte aber immer/nie …

… ich wollte aber immer Lehrerin werden. Ich wollte nie …

SIE LERNEN

– *Wünsche äußern*
– *beschreiben, was gemacht wird*

GRAMMATIK
– Konjunktiv II – Wünsche äußern
– Wechselpräpositionen
– Passiv Präsens
– *lassen*

WORTSCHATZ
– Essen und Trinken
– Wohnen

AB **A1 Feierabend**

a Sehen Sie die Fotos an. Was glauben Sie? Wer denkt das? Ordnen Sie zu.

1 Uschi – Kellnerin,
2 Gast (männlich), 3 Gast (weiblich)

4 Andy – Koch

5 Cornelia – Aushilfe

A Ich bin nicht sehr hungrig.
B In den Jazzclub will sie gehen, die ist wohl verruckt.
C Hoffentlich bestellen sie kein Rindfleisch. Das ist aus.
Đ Das Menü 1 sieht gut aus! Rinderbraten hatte ich schon lange nicht mehr.
E Es ist 22 Uhr. Ich habe jetzt Feierabend!

b **Sehen Sie die Fotos noch einmal an.**
Was glauben Sie? Welche Person aus a **sagt das?**
Ordnen Sie zu.

a Ich hätte gern Menü 1.   2
b Ich wäre jetzt auch gern im Jazzclub.
c Ich würde Ihnen gern unsere Fischkarte zeigen.
   Den Fisch hier kann ich sehr empfehlen.
d Ich hätte gern eine kleine Portion Salat.
e Ich würde gern pünktlich Schluss machen.

> Konjunktiv II – Wünsche
> haben: Ich hätte gern ...
> sein: Ich wäre gern ...
> machen/...: Ich würde gern ... machen.

Konjunktiv II

	haben	sein	machen/...	
ich	hätte	wäre	würde	
du	hättest	wär(e)st	würdest	
er/es/sie	hätte	wäre	würde	machen/...
wir	hätten	wären	würden	
ihr	hättet	wär(e)t	würdet	
sie/Sie	hätten	wären	würden	

▶ 3|45 c **Hören Sie. Was möchte Cornelia, die Aushilfe?**
Was möchte Andy, der Koch?
Sprechen Sie.

▶ 3|45 d **Hören Sie noch einmal. Wer sagt was? Ordnen Sie zu.**

 Andy (A)   Cornelia (C)   Uschi (U)

a Wir wären alle gern im Jazzclub, wir hätten alle gern eine Verabredung.
   Aber das geht nicht.   A
b Die Gäste warten.
c Ich habe jeden Tag zehn Stunden gearbeitet.
d Wenn du jetzt gehst, bekommst du Probleme mit dem Chef.
e Die Gäste hätten gern ihr Essen.
f Ich hätte gern frei.

AB A2 Da fehlt doch etwas ...

▶ 3|46 a Hören Sie und ordnen Sie zu. Sprechen Sie dann nach.

1 • Gabel   2 • Messer   3 • Löffel   4 • Serviette   5 • Glas   6 • Pfeffer
7 • Salz   8 • Essig   9 • Öl   10 • Besteck   11 • Teller   12 • Brot

A ☐   B ☐   C ☐   D ☐   E ☐   F ☐

G ☐   H ☐   I ☐   J ☐   K ☐   L ☐

3|47–50 b Hören Sie die Dialoge. Welche Dinge aus a soll der
Kellner bringen? Schreiben Sie die Sätze.

1 Wir hätten gern die Speisekarte und wir hätten auch gern ...
2 Wir hätten gern ...
3 Ich hätte gern ...
4 Wir hätten gern ...

c Partnerarbeit. Auf dem Tisch fehlt noch ... Decken Sie zwei Gegenstände
in a ab (zum Beispiel mit einem Geldstück). Sprechen Sie wie im Beispiel.

● Entschuldigen Sie, da fehlt noch eine Gabel.
■ Tut mir leid, die habe ich vergessen. Ich bringe sofort eine Gabel.

Entschuldigen Sie, da fehlt ...
Ich hätte / Wir hätten gern noch ... /
Könnten Sie noch ... bringen?
Tut mir leid / Entschuldigen Sie,
den / das / die ... habe ich vergessen.
Ich bringe sofort einen / ein / eine ...
Natürlich, kommt sofort.

AB A3 Tischgespräche

▶ 3|51 a Hören Sie und ergänzen Sie.

in dem kleinen Café im Stadtpark sein   einen Kaffee trinken   eine Nachspeise haben   einen Spaziergang machen

● Heinz, ich glaube, ich weiß, was du jetzt gern tun würdest.
■ Ja? Was denn?
● Ich glaube, du __würdest__ gern _____, zum See vielleicht.
■ Nein Barbara, ganz sicher nicht.
● Schade, aber vielleicht _____ du gern noch _____
   _____. Ich _____ jetzt gern _____.
■ Ja, du vielleicht.
● Und du?
■ Weißt du Barbara, ich _____ jetzt gern noch
   _____.

– Eis essen
– neue Kleider haben
– in der Karibik sein
– ...

b Was würde Ihre Partnerin / Ihr Partner jetzt gern tun?
Was glauben Sie? Schreiben Sie fünf Vermutungen auf.

jetzt gern ... essen/trinken   in der Karibik / im Kino sein   in den Bergen / zu Hause / am Meer /... Urlaub machen
kochen / surfen / Schach spielen   eine größere Wohnung / neue Kleider / neuen Schmuck haben   ... kennenlernen

c Partnerarbeit. Fragen und antworten Sie wie im Beispiel. Berichten Sie dann im Kurs.

● Ich denke, du würdest jetzt gern ein Eis essen, stimmt's?
■ Nein, ich würde gern ... / Ja.
● Ich denke, du hättest gern ... / du wärst gern ...
■ ...

... würde jetzt gern ... essen.

B

B1 Vergessen

a **Sehen Sie das Bild an. Was glauben Sie?**
Was ist Georgs Problem?

Hat Georg seine Brieftasche auf den Beifahrersitz im Auto gelegt? Er weiß es nicht mehr.

▸ 3|52 b **Lesen Sie und hören Sie den Text.**
Warum hat Georg vergessen, wo seine Brieftasche ist?

Peinlich ...!

„Wir hätten gern die Rechnung!" Georg möchte bezahlen. Schon lange wollte er seine Kollegin Saskia einladen, jetzt hat es endlich geklappt. Das Abendessen war wunderbar[1]. In seiner Hosentasche sucht Georg
5 nach seiner Brieftasche, doch er kann sie nicht finden. Er weiß aber, dass er sie zu Hause noch hatte. Ein Freund hat angerufen und da hat er sie auf den Schreibtisch gelegt. Und dann? Vielleicht hat er die Brieftasche in seine Jacke gesteckt. Im Restaurant
10 hat er die Jacke an die Garderobe gehängt. Dort kann Georg seine Brieftasche aber auch nicht finden. Hat er sie auf den Beifahrersitz gelegt? Liegt sie vielleicht im Auto? Er weiß es nicht. Warum hat er das vergessen?
15 Der Kellner kommt. Er gibt ihm die Rechnung: 54 Euro. Peinlich. Was soll er Saskia sagen?

Die Situation im Restaurant ist sicher unangenehm[2] für Georg. Er hat seine Brieftasche vergessen. Vergessen kann manchmal aber auch gut sein. Wir
20 müssen Dinge vergessen, denn erst dann haben wir den Kopf frei für neue Informationen. Aber welche Informationen vergessen wir und welche Informationen behalten[3] wir im Gedächtnis[4]? Die Antwort ist sehr einfach: Wenn Informationen wichtig
25 sind und wenn wir sie öfter wiederholen, dann merken[5] wir uns diese Informationen auch länger. Aber auch starke Gefühle helfen: Was Georg mit seiner Brieftasche gemacht hat, hat er vergessen. Die Brieftasche war nicht wichtig für ihn, denn er
30 war mit seinen Gedanken[6] schon beim Abendessen mit Saskia. Die peinliche Situation im Restaurant vergisst er aber sicher nicht so schnell.

[1] sehr schön   [2] nicht schön   [3/5] nicht vergessen   [4]   [6] was wir denken

c **Lesen Sie noch einmal. Sind die Aussagen richtig oder falsch? Kreuzen Sie an.**

richtig   falsch

1 Georg hat seine Kollegin schon oft zum Abendessen eingeladen.
2 Georg sucht die Brieftasche in seiner Jacke.
3 Georg ist sicher, dass seine Brieftasche im Auto liegt.
4 Unwichtige Informationen vergessen wir schneller.
5 Die Verabredung mit Saskia war für Georg wichtiger als seine Brieftasche.

B2 Wo oder wohin?

a **Ordnen Sie die Sätze den Bildern zu.**

1 Georg legt die Brieftasche auf den Sitz.
2 Die Brieftasche liegt auf dem Sitz.
3 Er steckt die Brieftasche in die Jacke.
4 Die Brieftasche steckt in der Jacke.

5 Er hängt die Jacke an die Garderobe.
6 Die Jacke hängt an der Garderobe.
7 Er stellt das Auto in die Garage.
8 Das Auto steht in der Garage.

a    b    c    d

e   f    g    h

b Finden Sie im Text in 1b (Zeile 1–14) die Wechselpräpositionen und ordnen Sie sie zu.

Wechselpräpositionen	
mit Akkusativ	
auf den Schreibtisch	
...	
mit Dativ	
in seiner Hosentasche	
...	

Wechselpräpositionen			
mit Akkusativ			mit Dativ
Wohin ...?		in	**Wo ...?**
Präposition (→ •)		an	*Präposition (•)*
stellen		auf	stehen
legen		über	liegen
hängen	+ Akkusativ	zwischen	hängen
stecken		hinter	stecken + Dativ
tun		neben	sein
...		unter	...
		vor	

AB **B3 Wohin hast du die Schlüssel gelegt?**

3|53, 54 a Hören Sie und ergänzen Sie. Finden und markieren Sie alle
sechs Suchorte im Zimmer. Wo sind die Gegenstände?

1 ● Ich finde meine Autoschlüssel nicht. Hast du sie gesehen?
   ■ Nein, hast du sie _____ gelegt?
   ● Nein, da sind sie nicht.
   ■ Hast du sie _____ gesteckt?
   ● Nein, da habe ich auch schon gesucht.
   ■ Hast du sie _____ gelegt?
   ● Ja, genau, da sind sie.

2 ● Wohin hast du das Glas gestellt?
   ■ Ich weiß es nicht mehr.
   ● _____ ?
   ■ Nein, da ist es nicht.
   ● _____ ?
   ■ Nein, da ist es auch nicht.
   ● _____ ?
   ■ Ja, da steht es.

¹ ● Decke ² ● Spiegel

b Partnerarbeit. Partner A versteckt die
Gegenstände im Zimmer. Partner B
sucht sie und stellt Ja/Nein-Fragen.
Partner A antwortet nur mit *Ja* oder *Nein*.
Wie viele Fragen braucht Partner B?

   ● Hast du die Coladose unter den
     Tisch gestellt?
   ■ Nein.
   ● Hast du sie ...?

stellen: legen:

● Coladose ● Kaffeetasse ● Teekanne   ● Kamm ● Kette

B4 Wo hast du das gesehen?

a Sehen Sie das Zimmer in 3a an, lesen Sie die Sätze und korrigieren Sie die Fehler.

1 Neben der Pflanze steht ein Klavier.
2 Auf dem Klavier liegen Bücher.
3 Der Schreibtisch steht hinter dem Fenster.
4 Zwischen dem Sessel und dem Tisch liegen Bücher auf dem Boden.

b Wie gut ist Ihr Gedächtnis? Sehen Sie das Zimmer in 3a genau an. Schließen Sie das Buch. Wie viele Sätze können
Sie in zehn Minuten schreiben? Vergleichen Sie dann mit Ihrer Partnerin / Ihrem Partner. Alles richtig?

Auf dem Schreibtisch steht ... Neben ...

AB **C1 Sie räumt ständig die Wohnung um!**

▶ 3|55 **a** **Lesen Sie und hören Sie die Beiträge im Internetforum und beantworten Sie die Fragen.**

1 Was ist Willis Wunsch?

2 Warum räumt Willis Freundin ständig um?

■ hellgrün ■ dunkelgrün

   Was meinen Anne4, Uru und Leo62?

| Willi | Meine Freundin Susanna und ich leben seit einem Jahr zusammen. Wir mögen uns sehr. Mein Problem ist aber, dass sie ständig[1] die Möbel umräumt und dass sie jede Woche etwas verändert. Vor einem halben Jahr haben wir das Wohnzimmer hellblau gestrichen[2]. … Heute sind schon wieder die Maler da. Das Zimmer wird jetzt hellgrün gestrichen. Mir gefällt die Wohnung, wie sie ist. Ich hätte gern, dass sie auch so bleibt. Aber das geht mit Susanna nicht. Was soll ich tun? |

| Anne4 | Ihr seid eben verschieden[3]. Deine Freundin ändert gern alles, du nicht. Vielleicht war es doch nicht so gut, dass ihr zusammengezogen seid. |

| Uru | Deine Freundin ist kreativ. Das ist doch prima. Ich würde auch gern etwas in meiner Wohnung verändern, aber ich habe keine Ideen. |

| Leo62 | Ich glaube, deine Freundin hat ein Problem. In Wirklichkeit muss sie für eine Prüfung lernen oder einen Job suchen. Sie hat aber keine Lust[4] und räumt viel lieber die Wohnung um. Da muss sie nicht lernen und keine Jobanzeigen lesen. Die unangenehmen Dinge verschiebt[5] sie auf morgen. |

[1] immer [2]   [3] anders [4] nicht wollen [5] später tun

b **Wer macht was? Schreiben Sie Sätze.**

Aktiv	Passiv		
Die Maler streichen das Zimmer hellgrün.	Das Zimmer	wird	hellgrün	gestrichen.
Susanna räumt die Möbel um.	Die Möbel	werden		umgeräumt.
		werden		+ Partizip II

1 Das Wohnzimmer wird gestrichen.
   Maler streichen _____ .

2 Im Badezimmer wird eine neue Badewanne eingebaut.
   Der Installateur baut _____ .

3 Das Bücherregal wird in den Keller geräumt.
   Susanna _____ .

4 Der Küchentisch wird auf die Terrasse gestellt.
   Susanna _____ .

c   Sehen Sie den Wohnungsplan an
     und ordnen Sie die Wörter zu.

a • Sofa   h • Wohnzimmer
b • Dusche   i • Küche
c • ~~Regal~~   j • Schlafzimmer
d • Teppich   k • Badezimmer
e • Bett   l • Toilette
f • Herd   m • Kinderzimmer
g • Flur   n • ~~Schrank~~

▶ 3|56 d   Hören Sie. Welche Räume zeigt Susanna ihrer
             Freundin Angie? Wo wird nichts verändert?

▶ 3|56 e   Hören Sie noch einmal. Was wird in den Zimmern verändert?
             Schreiben Sie Sätze wie im Beispiel.

     Spüle umgebaut   Zimmerdecke gestrichen   Bücher in den Keller geräumt
     Pflanzen ans Fenster gestellt   Spiegel verkauft   neue Lampen montiert

     Flur: Neue Lampen werden montiert. Die ... Küche: ... Wohnzimmer: ...

AB **C2 Alles wird ...**

     Ordnen Sie zu und schreiben Sie Sätze wie im Beispiel.

1   2   3   4   5

a ③ die Fenster putzen   b ☐ mein Auto waschen   c ☐ meine Haare schneiden
d ☐ mein Fahrrad reparieren   e ☐ meine alten Möbel verkaufen

     3 Die Fenster werden einmal im Jahr geputzt.

AB **C3 Was wird gemacht? Was machen Sie selbst? Was lassen Sie machen?**

a   Vergleichen Sie und ordnen Sie die Bilder zu.

                                                                     Bild
A   B   C   1 Ich schneide meine Haare selbst. _____
     2 Meine Haare werden geschnitten. _____
                                            3 Ich lasse meine Haare schneiden. _____

                                            ┌─────────────────────────────────┐
                                            │ lassen   │
                                            │ du lässt, er/es/sie lässt   │
                                            └─────────────────────────────────┘

b   Was machen Sie selbst? Was lassen Sie machen? Schreiben Sie fünf Sätze wie im Beispiel.

     Zimmer streichen   Auto/Fahrrad reparieren   kochen   Wäsche/Auto waschen   Geschirr spülen
     Computerprogramme installieren   Schuhe / Fenster / das Haus putzen

     Ich streiche meine Zimmer selbst. Ich lasse mein ...

c   Gruppenarbeit. Lesen Sie Ihre Sätze vor.   *Ich putze meine Fenster   Ich lasse meine*
     Finden Sie Gemeinsamkeiten.   *selbst. Und du?*   *Fenster putzen.*

Verb

Konjunktiv II – Wünsche äußern *hätte, wäre, würde … machen /…*

	haben	sein	werden + Infinitiv
ich	hätte	wäre	würde
du	hättest	wär(e)st	würdest
er/es/sie	hätte	wäre	würde
wir	hätten	wären	würden
ihr	hättet	wär(e)t	würdet
sie/Sie	hätten	wären	würden

} machen /…

Ich würde gern bei Ihnen baden. – Mein Bad wird umgebaut.

Passiv

Aktiv	Passiv
Susanna räumt die Möbel um.	Die Möbel werden umgeräumt.

Passiv Präsens

	werden	Partizip
ich	werde	
du	wirst	
er/es/sie	wird	gefragt /…
wir	werden	
ihr	werdet	
sie/Sie	werden	

Konjugation besondere Verben – *lassen*

lassen + Infinitiv	
	Präsens
ich	lasse
du	lässt
er/es/sie	lässt
wir	lassen
ihr	lasst
sie/Sie	lassen

} … schneiden /…

Satz

Satzklammer – Passiv

	Position 2		Satzende
Das Zimmer	wird	hellblau	gestrichen.

Satzklammer – *lassen*

	Position 2		Satzende
Ich	lasse	meine Haare	schneiden.

Präposition

Wechselpräposition lokal *(wohin?)* – *in, an, auf, … + Akkusativ*

Präposition + Akkusativ*	
Singular	
• maskulin	in/über/auf/neben/hinter/vor/an/unter **den** Schrank / zwischen **den** Schrank und **den** Sessel
• neutral	in/über/auf/neben/hinter/vor/an/unter **das** Regal / zwischen **das** Regal und **das** Sofa
• feminin	in/über/auf/neben/hinter/vor/an/unter **die** Waschmaschine / zwischen **die** Waschmaschine und **die** Wand
Plural	
•	in/über/auf/neben/hinter/vor/an/unter/zwischen **die** Schränke/Regale/Waschmaschinen

* nach den Verben *stellen / legen / hängen / stecken / tun /…;*
vergleichen Sie Wechselpräposition (wo?) + Dativ nach
stehen / liegen / hängen / stecken / sein /… → Lektion 5, Seite 44

REDEMITTEL

im Restaurant

Entschuldigen Sie, da fehlt …
Ich hätte / Wir hätten gern noch …
Könnten Sie noch … bringen?
Tut mir leid / Entschuldigen Sie,
*   den/das/die … habe ich vergessen.*
Ich bringe sofort einen/ein/eine …
Natürlich, kommt sofort.

Wünsche

Ich würde jetzt gern … essen /…
Ich hätte jetzt gern …
Ich wäre jetzt gern in /…

Arbeiten im und am Haus

Ich putze meine Fenster selbst.
*   Und du/Sie?*
Die Fenster werden einmal im Jahr
*   geputzt.*

etwas suchen

Ich finde meinen Autoschlüssel /… nicht.
*   Hast du / Haben Sie ihn /… gesehen?*
Nein, hast du / haben Sie ihn /… in …
*   gelegt / an … gehängt / auf …*
*   gestellt / in … gesteckt / in … getan?*
Nein, da ist er /… (auch) nicht.
Nein, da habe ich auch schon gesucht.
Ja, genau, da ist er /….
Wohin hast du / Haben Sie das Glas
*   gestellt /…?*
Ich weiß es nicht mehr.

● Hubschrauberpilot

Willst du
den Job
trotzdem haben?

● Sängerin

● Artist

● Fensterputzer

● Tierärztin

Traumberufe

a Was wollten Sie als Kind werden? Wie finden Sie Ihren Kinderwunsch heute?
Machen Sie Notizen.

Mein Traumberuf als Kind: __Artistin__
Meine Meinung heute: __sehr gefährlich__
Berufswünsche heute: __Heute würde ich gern ... Aber ...__

b Lesen Sie. Was wollte Martin als Kind werden?
Wie sieht sein Traumberuf heute aus?

Martin: Als Kind wollte ich Flugzeugpilot werden. Heute finde ich, dass der Beruf sehr anstrengend ist. Man muss viel reisen und oft auch in der Nacht arbeiten. Ich lebe in der Stadt und arbeite in einem Büro. Ich bin zufrieden, aber mein Traumberuf sieht anders aus. Ich hätte gern mehr Freizeit, und ich würde gern mit Menschen arbeiten. Ich würde auch gern mehr Geld verdienen.

c Schreiben Sie einen Text mit Ihren Ideen aus a und sprechen Sie
mit Ihrer Partnerin / Ihrem Partner.

Als Kind wollte ich ... Heute finde ich, dass ... Man muss / ...
Ich bin ... (von Beruf) / Ich bin zufrieden / nicht zufrieden, aber ...
Ich wäre gern / lieber / ... Ich hätte gern / lieber / ...
Ich würde gern, aber ...

Als Kind wollte ich ...
Heute wäre ich gern ...

Früher wollte ich ...

SIE LERNEN

– Gegensätze benennen
– Ratschläge geben
– über den Beruf sprechen
– über die Ausbildung
  sprechen

GRAMMATIK
– lokale Präposition
  um (herum)
– *jeder/jedes/jede/...*
– temporale Präposition *in*
– Nebensatz mit *obwohl*
– *trotzdem*
– modale Präposition *als*
– Konjunktiv II –
  Ratschläge geben
– Präposition *von ... bis*

WORTSCHATZ
– Schule
– Ausbildung

AB **A1 Ein gefährlicher Beruf**

a Ordnen Sie die Bildunterschriften den Fotos zu. Was meinen Sie? Was macht Uli Zenner beruflich?

A

B

1 Wenn der Notarzt nach einem Unfall nur ein paar Knochenbrüche feststellt, hat Uli Zenner Glück gehabt.

2 Uli Zenner sucht in der Luft die Gefahr: Er fliegt mit seinem Gleitschirm eine Kurve, dann dreht er immer schneller nach unten. Das Material hält und er kann sicher landen. Nach diesem Test kann die Firma den Schirm an die Kunden liefern.

▶ 4|1 b **Lesen Sie und hören Sie den Text. Warum ist Uli Zenners Beruf gefährlich?**

Jemand muss den Job doch machen ...

Obwohl es stark bewölkt und sehr windig ist, wandern noch ein paar Touristen um den Achensee. Hoch über dem See sehen sie einen Gleitschirmflieger in der Luft. Doch etwas stimmt nicht: Der
5 Schirm macht eine Kurve, dann dreht er schnell und immer schneller nach unten. Wie ein Stein[1] fällt der Gleitschirmflieger ins Wasser. Schon wollen die Touristen den Notarzt rufen, da sehen sie, dass der Pilot an Land schwimmt.
10 Der Pilot heißt Uli Zenner. Er testet Gleitschirme. Zweihundertmal fliegt Uli Zenner mit einem neuen Modell vom Berg ins Tal. Erst dann liefert die Firma den Schirm an ihre Kunden. Bei den Tests lebt er gefährlich. Oft gibt es harte Landungen[2] im See.
15 Obwohl jeder Gleitschirmpilot einen Rettungs-

schirm dabei hat, passieren immer wieder Unfälle. Uli Zenner hatte schon zwei schwere Unfälle, aber er hatte immer Glück. Obwohl die Ärzte nach seinem ersten Unfall mehr als 30 Knochenbrüche
20 feststellten, konnte er ein Jahr später wieder fliegen. Die Firmen sind froh, dass Uli Zenner ihre neuen Schirme probiert. Obwohl alle Gleitschirme zuerst auf dem Computer getestet werden, sind die Testflüge wichtig. Das Material reagiert in der Luft oft ganz
25 anders als am Computer. Auch die Wettersituation macht oft Probleme. Da sind die Kenntnisse[3] und die Erfahrung[4] von Spitzenpiloten wie Uli Zenner wichtig. Trotzdem bleibt das Gleitschirmfliegen gefährlich. Allein in Deutschland passieren jedes
30 Jahr mehr als einhundert schwere Unfälle.

[3] was man weiß/kann
[4] was man erlebt/gesehen hat

wo? *um + Akk.*
um den • Achensee

jeder • Pilot
jedes • Material
jede • Firma

c **Lesen Sie noch einmal. Was passt? Kreuzen Sie an.**

1 Das Wetter am Achensee ist ☐ nicht sehr gut. ☐ sehr schön. ☐ sehr gut für eine Wanderung.

2 Die Touristen sehen zuerst, dass ☐ ein Stein ins Wasser gefallen ist. ☐ ein Unfall passiert ist.
☐ der Pilot gut schwimmen kann.

3 Uli Zenner ☐ baut Gleitschirme. ☐ testet Gleitschirme. ☐ liefert Gleitschirme an Kunden.

4 Uli Zenner ☐ landet immer im See. ☐ hat immer einen Rettungsschirm dabei.
☐ testet jeden Schirm ein- oder zweimal.

5 Uli Zenner konnte nach seinem ersten Unfall ☐ nicht mehr arbeiten. ☐ wieder Gleitschirme testen.
☐ sofort wieder fliegen.

6 Die Firmen testen die Schirme ☐ nur, wenn die Sonne scheint. ☐ auch auf dem Computer. ☐ nur in der Luft.

AB **A2 Gegensätze**

a **Finden Sie die *obwohl*-Sätze im Text in** 1b
und unterstreichen Sie sie im Text.

obwohl

Gleitschirmfliegen ist beliebt. Gleitschirmfliegen ist gefährlich.

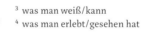

Gleitschirmfliegen ist beliebt, obwohl es gefährlich ist.

▶ 4|2 **b** **Hören Sie. Sind Linus und Kira mit ihren Berufen zufrieden? Ordnen Sie zu und ergänzen Sie die Sätze.**

als Fensterputzer   Polizistin   ~~in einem Reisebüro~~   freundliche Kollegen haben
jeden Tag mit Leuten streiten müssen   interessant sein   gefährlich sein   ~~gut verdienen~~

Linus arbeitet _in einem Reisebüro_ . Er möchte den Beruf wechseln, obwohl er _gut verdient_ und
obwohl er _freundliche_____ . Er möchte _____ arbeiten, obwohl
der Beruf_____ . Kira ist _____ von Beruf. Sie möchte den Beruf nicht wechseln,
obwohl sie _____ . Sie ist zufrieden, weil der Beruf _____ .

c **Sind Sie mit Ihrem Beruf / Ihrem Job zufrieden?**   *Ich bin … / Ich arbeite als …*
Wie viele Sätze mit *obwohl/weil* können Sie in   *Ich bin zufrieden, obwohl/weil …*
fünf Minuten schreiben? Sprechen Sie dann im Kurs.   *Ich möchte/würde gern etwas anderes machen, weil/obwohl …*

Ich mache ein Praktikum. Ich bin zufrieden, obwohl …

Ich mache ein Praktikum. Ich bin …

AB **A3 Gefährliche Berufe**

a **Welcher Beruf ist gefährlich? Welcher am gefährlichsten? Was glauben Sie? Ergänzen Sie die Liste.**

Soldat/in   Fensterputzer/in   Zirkusartist/in   Polizist/in

1 _____   4 Hochseefischer/in   7 Dachdecker/in
2 _____   5 Pilot/in   8 Holzfäller/in
3 Feuerwehrmann/frau   6 _____   9 _____

Hochseefischer

b **Lesen Sie den Text und vergleichen Sie mit Ihren Vermutungen in a.**

Berufsranking

Was sind die gefährlichsten Berufe? Eine große Versicherung beantwortet die Frage für uns:
Zirkusartisten spielen jeden Tag mit ihrem Leben. Trotzdem findet die Versicherung den Beruf
nicht besonders gefährlich. In der Statistik findet man Zirkusartisten nur auf Platz neun.
Gefährlicher findet die Versicherung die Polizeiarbeit: Polizisten können jeden Tag in schwierige
5 Situationen kommen. Deshalb stehen sie vor den Zirkusartisten auf Platz 6 in der Statistik.
Soldaten können jeden Tag ihr Leben verlieren. Trotzdem ist der Soldatenberuf für die Versicherung nicht der gefährlichste Beruf: Platz 2. Jeden Tag kann in großer Höhe ein Unfall passieren, deshalb findet die Versicherung den Beruf als Fensterputzer wohl am gefährlichsten.

Dachdecker

Holzfäller

c **Lesen Sie den Text noch einmal.**
Markieren Sie *deshalb* und *trotzdem*.

trotzdem

Obwohl er viel verdient, möchte er den Beruf wechseln. =
Er verdient viel. Trotzdem möchte er den Beruf wechseln.

Feuerwehrmann

A4 Ich mache es trotzdem!

a **Partnerarbeit. Schreiben Sie drei Wünsche auf.**
Tauschen Sie die Zettel. Ihre Partnerin / Ihr Partner findet möglichst viele Probleme.

Ich würde gern Gleitschirmfliegen lernen.   Das ist gefährlich. Ein Gleitschirm ist teuer.
Ich hätte gern einen Bauernhof.   …
Ich wäre gern ein Jahr auf einer Insel in der Karibik.   …

b **Machen Sie Dialoge mit den Notizen aus a wie im Beispiel.**

● Ich würde gern Gleitschirmfliegen lernen.
■ Aber das ist gefährlich.
● Trotzdem würde ich gern Gleitschirmfliegen lernen. Ich habe keine Angst.
■ Aber ein Gleitschirm ist teuer.
● Trotzdem würde ich gern Gleitschirm fliegen. Ich …

AB **B1 An deiner Stelle würde ich kündigen ...**

a   Was glauben Sie? Wo oder bei welcher Firma arbeiten die Personen?
Ordnen Sie zu und schreiben Sie Sätze.

	... als ...	in (einem/einer ...) / bei (...)
Herr Weber	Lehrerin	VW
Maria	Mechaniker	Schule
Klaus	Sekretärin	Büro
Rita	Selbstständige	in der eigenen Firma
Lukas und Alexander Bosch	Projektmanager	Siemens

Herr Weber arbeitet als Mechaniker bei VW.

arbeiten als Lehrer/Mechaniker/...

b   Partnerarbeit. Schreiben Sie die Namen von fünf Verwandten und
Freunden auf. Wo oder für wen arbeiten sie?

Marko ist mein Cousin. Er arbeitet als Mechaniker bei Lufthansa. ...

c   Was finden Sie besser? Selbstständig oder angestellt sein?
Ordnen Sie Ihre Argumente wie im Beispiel zu.

kündigen können   mehr/weniger verdienen   mehr/~~weniger Freizeit haben~~   Urlaub / keinen Urlaub haben
~~regelmäßige~~/unregelmäßige ~~Arbeitszeit haben~~   einen Chef / keinen Chef haben   mehr Stress / weniger Stress haben
Kunden suchen müssen   nicht krank sein / krank sein können   jeden Monat Lohn/Gehalt bekommen   ...

selbstständig sein	angestellt sein
weniger Freizeit haben ☹	*regelmäßige Arbeitszeit haben ☺*
...	...

d   Partnerarbeit. Was finden Sie besser? Diskutieren Sie jetzt mit den Argumenten aus c.

Wenn man selbstständig ist,
hat man weniger Freizeit.
Das finde ich nicht so gut.

Wenn man angestellt ist, ...
Das ist viel besser.

e   Sehen Sie das Foto an. Was glauben Sie? Wer ist selbstständig? Wer ist angestellt?

COSO-HOCHLEITNER GMBH
Computer- und Softwaresysteme

Volmar Hochleitner

Kopernikusstraße 12   Telefon: 0 61 51 / 62 99 32
64283 Darmstadt   E-Mail: hochleitner@coso.com

● Visitenkarte

Volmar   Karina

▶ 4|3 f   Hören Sie. Was sagt Volmar zu Karina? Was will er? Warum findet sie seine Idee nicht so gut?

▶ 4|3　g　**Hören Sie noch einmal und verbinden Sie die Sätze.**

A　Du solltest deinem Chef sagen,　　　　　　a　dass du zu wenig verdienst.
B　Wenn ich du wäre,　　　　　　　　　　　b　würde ich einmal richtig Urlaub machen.
C　An deiner Stelle　　　　　　　　　　　　c　würde ich auch kündigen.
D　Wenn du vom Urlaub zurückkommst,　　　　d　dich auch selbstständig machen.
　　dann solltest du　　　　　　　　　　　　　 Oder noch besser ... für mich arbeiten.
E　Du solltest　　　　　　　　　　　　　　　e　dem Chef deine Meinung sagen.

h　**Wie ist die Reihenfolge im Text?**
　　Ordnen Sie die Sätze aus g.

　　1 _B_　　　2 _____　　　3 _____　　　4 _____　　　5 _____

> **Konjunktiv II – Ratschläge geben**
> Du solltest kündigen.
> Du könntest doch kündigen.
> An deiner Stelle würde ich kündigen.

AB　**B2　Zu viele gute Ratschläge**

▶ 4|4　a　**Hören Sie. Welche Ratschläge bekommt Lia?**
　　Markieren Sie und schreiben Sie die richtigen Ratschläge auf.
　　Was ist wirklich Lias Problem?

　　früher ins Bett gehen　　am Wochenende zu Hause bleiben
　　mit dem Ehemann sprechen　　die neue Wohnung nicht kaufen
　　~~Urlaub machen~~　　am Nachmittag eine halbe Stunde schlafen

　　Ratschläge für Lia: Du solltest Urlaub machen. ...
　　Lias Problem:

▶ 4|5　b　**Gruppenarbeit. Eine Person schreibt für sich ein Problem auf.**
　　Die anderen müssen Ratschläge geben und so das Problem
　　erraten wie im Beispiel.

　　... mehr lernen/arbeiten/trainieren　　... mit ... sprechen
　　... nicht so viel Geld ausgeben　　... früher ins Bett gehen
　　... nicht mit ... streiten　　... ins/zum/zur ... gehen
　　weniger telefonieren/fernsehen/...　　einen/ein/eine ... kaufen
　　den/das/die ... wechseln　　nicht so viel / mehr ... essen/trinken

　　Mein Hund ist krank.

　　● Du solltest kündigen.
　　■ Nein, die Arbeit ist nicht mein Problem.
　　● An deiner Stelle würde ich am Abend weniger fernsehen.
　　■ Das ist nicht mein Problem. Ich schlafe genug.

　　● Du könntest vielleicht ...
　　■ ...
　　● Du solltest zum Tierarzt gehen.
　　■ Ja, das stimmt. Mein Hund ist krank.

B3　Über den Beruf sprechen

a　**Schreiben Sie zu Ihrem Traumberuf zehn Fragen wie im Beispiel.**
　　Die Stichwörter können helfen.

　　reisen　Freizeit　Kollegen　früh aufstehen　Fremdsprachen
　　Prüfungen machen　schmutzig　Kontakt mit Menschen　Nacht
　　Computer　Werkzeug　verdienen　Führerschein　Chef　...

　　1　Was bist du von Beruf?
　　2　Gefällt dir dein Beruf?
　　3　Welche Ausbildung hast du?
　　4　...

> Kannst du ... / Musst du ... / Darfst du ...?
> Wann ...? / Wie lange ...? / Wo ...? / Wie oft ...?
> Hast / Bist du schon einmal ...? / Mit wem ...?
> Warum ...? / Wie viel ...? / Wie ist ...?

b　**Partnerarbeit. Tauschen Sie Ihre Fragen. Lesen Sie die Fragen Ihrer Partnerin / Ihres Partners.**
　　Sie / Er antwortet. Berichten Sie dann über interessante Punkte in der Gruppe.

AB C1 **Schulpflicht früher und heute**

▶ 4|6 Lesen Sie und hören Sie den Text.
Beantworten Sie die Fragen 1–3.

Preußenkönig Friedrich Wilhelm I.

Die Ausbildung wird immer länger ...

Im Jahr 1717 wollte Friedrich Wilhelm I, König von Preu-
ßen, alle Kinder in seinem Land in die Schule schicken.
Dort sollten sie lesen, schreiben und rechnen lernen.
Doch seine Minister waren dagegen: „Die Kinder sollen
5 arbeiten, nicht in die Schule gehen", meinten sie.
Sie fanden Friedrich Wilhelms Idee unnötig[2] und viel
zu teuer. Heute ist es selbstverständlich[3], dass Jungen
und Mädchen in die Schule gehen.
Mindestens[4] neun Jahre lang müssen alle Kinder in
10 Deutschland, Österreich und der Schweiz eine Schule
besuchen. Danach gehen sie freiwillig[5] in eine weiter-
führende Schule oder sie beginnen eine Berufsausbildung.
Die Ausbildungszeit wird immer länger. „Wenn man
verheiratet ist, dann ist man erwachsen", hieß eine alte
15 Regel. Vor 50 Jahren heirateten junge Menschen mit
durchschnittlich 22 Jahren. Heute heiratet man im
Durchschnitt acht bis elf Jahre später. Bedeutet das auch,
dass junge Menschen heute später erwachsen werden?

Die Schulpflicht[1] fanden seine
Minister zu teuer.

[1] ● Pflicht – was man tun muss, Schulpflicht: man muss in die Schule gehen   [2] braucht man nicht   [3] klar, normal
[4] nicht weniger als   [5] man muss es nicht tun

1   Warum waren die preußischen Minister im Jahr 1717 gegen die Schulpflicht?
2   Wie lange dauert die Schulpflicht heute?
3   Wann heirateten junge Menschen durchschnittlich vor 50 Jahren, wann heiraten sie heute?

AB C2 **Das Schulsystem in den deutschsprachigen Ländern**

▶ 4|7 a **Hören Sie die Informationen und ergänzen Sie die Tabelle.**

Gymnasium   Grundschule   Hauptschule

Das Schulsystem in Deutschland

Arzt, Architekt, Jurist, Lehrer usw.   Tischler, Friseur, Maurer, Installateur usw.

Universität

                                                        Berufsschule (Berufsausbildung)

_____   Gesamtschule

                                                        Realschule   _____

_____

                        Kindergarten

b **Partnerarbeit. Schreiben Sie Fragen und machen Sie ein Partnerquiz.**

Welche Schule besucht man vor ...?
Welche Schule kann man nach ... besuchen?   Welche Schule besucht   ┌─────────────────┐
Was kann man vor/nach ... machen?   man vor dem Gymnasium?   │ von wann ... bis wann?
Von wann bis wann besucht man ...?   ...   │ von zehn (Jahren) bis
Ab wann besuchen die Kinder/Schüler ...?   │ vierzehn Jahren
Wie lange dauert ...?   _____   └─────────────────┘

▶ 4|8 c Hören Sie. Das Schulsystem in Österreich und in der Schweiz ist ähnlich wie in Deutschland.
Einige Dinge sind aber doch anders. Ordnen Sie zu.

1 BHS 2 Matura 3 Primarschule 4 Volksschule

In Österreich gibt es: _____

In der Schweiz gibt es: _____

d Vergleichen Sie das Schulsystem in Deutschland mit dem Schulsystem in Ihrem Land.
Was ist ähnlich, was ist anders? Machen Sie Notizen.

In Deutschland gibt es ...
... dauert der/die ...
Die Kinder gehen von ... bis ... Jahren in die ...
Nach der Grundschule / ...
Vor der Universität muss man ...

Bei uns in ... / In meiner Heimat gibt es auch ... /
gibt es keinen/kein/keine ..., aber es gibt ...
Die Schulzeit /... dauert ... / ist länger/kürzer.
Die Kinder /... besuchen bei uns die Schule /...
von ... bis ... Jahren /... Jahre lang.

e Partnerarbeit. Wie ist das Schulsystem in Ihrer Heimat?
Sprechen Sie.

Bei uns ...

AB C3 Berufswechsel

▶ 4|9 a Hören Sie und ergänzen Sie. Was wissen und was vermuten die Frauen?
Achtung: Einige Wörter passen nicht.

geheiratet hat   als Arzt   eine Ausbildung   im Ausland
das Abendgymnasium   Koch   im Krankenhaus   in Italien war
~~die Realschule~~   das Abitur

1 Richard hat mit Rosi und Carmen die Realschule besucht.
2 Jetzt arbeitet er _____ im Krankenhaus.
3 Er hat _____ als Koch begonnen und abgeschlossen.
4 Er wollte immer _____ arbeiten.
5 Später hat er vielleicht _____ besucht und
_____ nachgeholt.
6 Vielleicht heißt er jetzt Luca, weil er _____ .

Rosi   Carmen

b Wählen und notieren Sie zwei Berufe und beantworten Sie zu diesen Berufen die Fragen.

1 Welchen Beruf hatten Sie zuerst, welchen danach?
2 Wie war Ihre erste Berufsausbildung?
3 Warum hat Ihnen Ihr erster Beruf nicht gefallen?
4 Wie war Ihre zweite Berufsausbildung?
5 Was gefällt Ihnen in Ihrem zweiten Beruf?
6 Was würden Sie gern in einem Jahr / in ... Jahren machen?

wann? in + Dativ
in einem Jahr

Dachdecker → Gärtner
1 Zuerst war ich ...
2 Die Ausbildung war ...
3 Der Beruf war sehr ...
4 Die war wirklich ...
5 Ich arbeite in der Natur ...
6 ...

c Partnerarbeit. Fragen und antworten Sie mit den Informationen aus b.

Welchen Beruf hattest du
zuerst, welchen danach?

Zuerst war ich
Dachdecker, danach ...

GRAMMATIK

Verb

Konjunktiv II – Ratschläge geben

Du solltest kündigen.
Du könntest doch kündigen.
An deiner Stelle würde ich kündigen.

Konjunktiv II – *sollen*

sollen	
ich	sollte
du	solltest
er/es/sie	sollte
wir	sollten
ihr	solltet
sie/Sie	sollten

kündigen/…

Nomen

jed-

	Nominativ	Akkusativ	Dativ
Singular			
• maskulin	jeder Chef	jeden Chef	jedem Chef
• neutral	jedes Büro		jedem Büro
• feminin	jede Firma		jeder Firma

Vergleichen Sie • *der Chef* / • *das Büro* / • *die Firma*

Präposition

temporal *(wann?)* – in + Dativ

in	• einem Monat
in	• einem Jahr
in	• einer Woche
in	• zwei Monaten

lokal *(wo?)* – um + Akkusativ

um	• den Achensee	(herum)
um	• das Haus	(herum)
um	• die Stadt	(herum)
um	• die Parkplätze	(herum)

modal *(als was?)* – als

ich arbeite	als	• Lehrer
	als	• Lehrerin

***(von wann … bis wann …?)* – von + Dativ … bis + Dativ**

von zehn bis vierzehn • Jahren

Satz

Nebensatz – Konjunktion *obwohl*

	Konjunktion	Satzende
Gleitschirmfliegen ist beliebt,	obwohl	es gefährlich ist.

Konjunktion		Satzende	
Obwohl	Gleitschirmfliegen gefährlich ist,		ist es beliebt.

trotzdem

		Position 2		
Obwohl er viel verdient, möchte er den Beruf wechseln.	Er	verdient	viel,	
	trotzdem	möchte	er den Beruf wechseln.	

REDEMITTEL

Gegensätze benennen

Ich würde gern … lernen.
Aber das ist gefährlich /…
Trotzdem würde ich gern … Ich habe keine Angst /…
Obwohl es … ist, würde ich …

Ratschläge geben

Wenn ich du/Sie wäre, würde ich einmal richtig Urlaub machen /…
Du solltest deinem / Sie sollten Ihrem Chef /… sagen, dass …
An deiner/Ihrer Stelle würde ich …
Wenn du/Sie vom Urlaub zurückkommst/zurückkommen /…, solltest du / sollten Sie …
Das ist nicht mein Problem.

über den Beruf sprechen

Was bist du / sind Sie von Beruf?
Ich bin … von Beruf. / Ich arbeite als …
Gefällt dir dein / Ihnen Ihr Beruf?
Warum gefällt dir dein / Ihnen Ihr Beruf (nicht)?
Kannst du / Können Sie …?
Musst du / Müssen Sie viel arbeiten / früh aufstehen /…?
Darfst du / Dürfen Sie Telearbeit machen /…?
Wann musst du / müssen Sie aufstehen /…?
Wie lange musst du / müssen Sie arbeiten?
Wo ist die Firma /…?

über die Ausbildung sprechen

Welche Ausbildung hast du / haben Sie?
Welche Schule/n hast du / haben Sie besucht?
Was kann man nach … machen?
Von wann … bis wann hast du / haben Sie … besucht?
Wie lange hat deine/Ihre Ausbildung / dein/Ihr Studium /… gedauert?

Freust du
dich
auf mich?

Freunde und Bekannte

a Welche Freunde und
Bekannte sind besonders
wichtig für Sie?
Mit wem haben Sie
besonders viel Kontakt?
Ergänzen Sie das
Soziogramm und
machen Sie Notizen
wie im Beispiel.

Anna
Ronald
Hartmut

Ich

b Lesen Sie den Text. Ergänzen Sie dann Hartmuts Soziogramm
in a mit den neuen Informationen.

Hartmut: Anna ist am wichtigsten für mich. Sie ist meine
Freundin. Obwohl Anna in einer anderen Stadt wohnt, bleiben
wir jeden Tag in Kontakt. Wenn wir uns nicht sehen können,
dann skypen wir. Ronald ist ein Arbeitskollege und mein Freund.
Wir spielen oft gemeinsam Tennis. Marina ist Annas Freundin.
Sie ist mit Jan zusammen. Am Wochenende unternehmen wir
manchmal etwas gemeinsam.

c Schreiben Sie einen Text mit Ihren Ideen aus a und sprechen
Sie mit Ihrer Partnerin / Ihrem Partner.

... ist am wichtigsten / sehr wichtig für mich. Sie / Er ist ...
Ich treffe sie / ihn ... Obwohl ..., ... Wenn wir ..., ...

... ist am wichtigsten
für mich.

Wie oft triffst du ...?

Wie lange kennst
du ... schon?

AB **A1 Kennenlernshows**

a   Würden Sie gern bei einer Kennenlernshow im
    Fernsehen mitmachen? Warum (+)? Warum nicht (−)?
    Markieren Sie die Argumente und sprechen Sie.

1   Viele Zuschauer sehen zu.
2   Es kann peinliche Situationen geben.
3   Das ist sicher eine interessante Erfahrung.   +
4   Gefühle sind Privatsache.
5   Man kann sich überall verlieben.
6   Man kann ein Star werden.
7   Ich will keinen Vertrag mit einem
    Fernsehsender unterschreiben.

„Wenn ich teilnehme, lerne ich vielleicht den Partner fürs Leben
kennen", hoffen viele Kandidaten bei Kennenlernshows.

*Ich würde gern mitmachen, weil das sicher
eine interessante Erfahrung ist.*

▶ 4|10 b   Lesen Sie und hören Sie den Text. Warum sind Kennenlernshows beliebt?

Manchmal gibt es ein „Happy End"

Seit fünf Jahren leben Marina und Jörg zusammen.
Sie sind glücklich. „Ich bin froh, dass ich an der
Show teilgenommen habe", meint Marina. „Ich
hatte zuerst Angst vor der Kamera, aber dann war
5   alles halb so schlimm[1]." Marina und Jörg waren
Kandidaten in einer Kennenlernshow. Dort haben
sie sich zum ersten Mal getroffen. Ein halbes Jahr
später haben sie geheiratet. In Kennenlernshows
suchen Menschen ihren Lebenspartner oder ihre
10 Lebenspartnerin. Sie tun das im Fernsehen.
Über hundert verschiedene Fernsehsender gibt es
in deutscher Sprache. Deshalb können deutschspra-
chige Zuschauer fast täglich zusehen, wie jemand
im Fernsehen den Traumpartner sucht.
15 Kennenlernshows sind beliebt. Sie wecken starke
Gefühle vor dem Fernsehgerät. Hier kann man
erleben, wie Menschen sich verlieben, wie sie sich
streiten, wie sie sich freuen[2] oder sich über den

anderen ärgern[3]. Für die Fernsehsender und für
20 viele Zuschauer sind Kennenlernshows deshalb
gute Fernsehunterhaltung.
Doch es gibt auch Kritik. Wenn zwei Menschen sich
in einer Fernsehshow kennenlernen, ist die Kamera
immer dabei. Oft werden auch peinliche und unan-
25 genehme Situationen gefilmt. Auch diese werden
im Fernsehen gezeigt. Die Kandidaten haben vor
der Show meistens einen Vertrag unterschrieben.
Dort wird vereinbart[4], dass der Fernsehsender alle
Szenen aus der Show senden darf. Da sind dann
30 auch diese peinlichen Momente dabei. Manche
Fernsehmacher glauben, dass diese Szenen für das
Publikum besonders interessant sind. Sie kümmern
sich nicht[5] um die Kritik. Außerdem gibt es immer
auch Kandidaten wie Marina und Jörg. „Bei uns
35 können die Teilnehmer ihren Traumpartner finden,
das ist doch toll", erklären die Programmmacher.

[1] nicht gut; halb so schlimm = nicht schlimm   [2] glücklich sein
[3] böse/wütend sein   [4] zu etwas ja sagen   [5] hier: ist ihnen egal

mancher • Zuschauer
manches • Team
manche   • Show
manche   • Szenen

c   Lesen Sie den Text noch einmal. Finden Sie die Antworten.
    Die Antworten stehen <u>direkt</u> im Text.

1   Wann haben Marina und Jörg geheiratet?
2   Was tun die Kandidaten in einer Kennenlernshow?
3   Warum gibt es im deutschsprachigen Fernsehen fast jeden Tag eine Kennenlernshow?
4   Warum dürfen die Fernsehsender auch peinliche Situationen zeigen?

d   Partnerarbeit. Finden Sie Antworten. Was glauben Sie?
    Die Antworten stehen <u>nicht direkt</u> im Text.

1   Hat Marina gern bei der Kennenlernshow mitgemacht?
2   Warum sind Gefühle im Fernsehen wichtig?
3   Warum sind die Programmmacher über Kandidaten wie Marina und Jörg glücklich?

AB A2 Hanno hat bei einer Kennenlernshow mitgemacht ...

a Suchen und unterstreichen Sie die sieben reflexiven Verben im Text in 1b wie im Beispiel.
Schreiben Sie dann den Infinitiv.

... Dort haben sie sich kennengelernt. ...

sich kennenlernen

reflexive Verben

ich	freue	mich
du	freust	dich
er/es/sie	freut	sich
wir	freuen	uns
ihr	freut	euch
sie/Sie	freuen	sich

▶ 4|11 b Hören Sie das Interview mit Hanno und
beantworten Sie die Fragen.

1 Wann musste Hanno im Fernsehstudio sein?
2 Wann hat er Klaras Fragen bekommen?
3 Wer wurde am Ende Klaras Traumpartner?

▶ 4|11 c Lesen Sie Hannos Antworten. Was passt? Ergänzen Sie *mich/uns/dich* (___) und die
richtigen Verben (___). Hören Sie noch einmal und vergleichen Sie.

~~gefreut~~   vorbereiten   geärgert   ~~getroffen~~   konzentriert   angemeldet   jeder ≈ jeder Kandidat
unterhalten   ärgerst   streiten   umgezogen   entspannt

„... Ich habe __mich__ ja selbst _____ ... Da habe ich __mich__ natürlich __gefreut__. Aber ich war
auch ein bisschen nervös. Sechs Stunden vor der Show habe ich _____ mit Georg und Bernd __getroffen__.
Wir waren die drei männlichen Kandidaten. Wir haben Klaras Fragen bekommen und konnten __uns__
auf die Show _____. Das waren Fragen wie „Ich habe dein Motorrad kaputt gemacht.
Du _____ _____ über mich, möchtest _____ aber nicht _____. Was tust du?" Jeder
hat bald auch ein paar witzige Antworten gefunden. Dann haben wir _____ für die Show _____
und _____ noch ein bisschen _____[1]. In der Show, da hat Klara ihre Fragen vorgelesen. Ich
habe _____ voll _____ und bei meinen Antworten fast keinen Fehler gemacht ... Klara hat Bernd
gewählt, er wurde ihr Traumpartner, nicht ich. Zuerst habe ich _____ ein bisschen _____,
aber auf der Party danach war alles vergessen. Ich habe _____ lange mit Sabine _____. Sabine
war eine Kandidatin aus Österreich."

d Wie war es für Hanno auf der Kennenlernshow? Schreiben Sie.

Natürlich hat Hanno sich gefreut, aber er war ...

e Partnerarbeit. Lesen Sie Ihre Sätze aus d und sprechen Sie.

*Natürlich hat
Hanno sich ...*

AB A3 Sich Kennenlernen

a Welche Verben passen für Sie zu welcher Uhrzeit? Wählen Sie mindestens
acht Verben aus und machen Sie Notizen wie im Beispiel.

sich ärgern/freuen   sich anziehen/umziehen
sich duschen/waschen   sich vorbereiten
sich konzentrieren   sich verlieben
sich bewegen   sich treffen
sich stark/schwach/müde/... fühlen   sich beschweren
sich entspannen   sich streiten

→ sich ärgern

→ sich vorbereiten

b Partnerarbeit.
Vergleichen Sie Ihre Notizen.
Finden Sie Gemeinsamkeiten.

*Um elf Uhr haben wir in der Firma meist einen
Gesprächstermin mit dem Chef. Um zehn Uhr bereite ich mich auf
das Treffen vor. „sich vorbereiten" steht deshalb bei zehn Uhr.*

c Gruppenarbeit. Berichten Sie mit
Ihren Informationen aus b.

*Ulrike bereitet sich um zehn Uhr auf
ein Treffen mit ihrem Chef vor.*

B

a **Auf dem Amt. Was möchten die Menschen auf dem Amt? Ordnen Sie den Situationen (A–F) die Sätze (1–6) zu.**

A einen Umzug melden
B heiraten
C eine Geburt melden
D eine Arbeit suchen
E einen neuen Reisepass   1
F den Führerschein abholen

1 Wir brauchen Ihren alten Pass und zwei neue Passfotos. Haben Sie die Gebühr von 59 Euro schon bezahlt?
2 Herzlichen Glückwunsch! Wie soll Ihre Tochter heißen?
3 Bitte füllen Sie das Formular aus und unterschreiben Sie hier. Wo liegt Ihre neue Wohnung?
4 Ich möchte auch meinen Familiennamen ändern, da brauche ich noch Ihren Stempel.
5 Sie sind mit dem Auto da? Aber Sie bekommen Ihre Papiere doch erst jetzt!
6 Sie haben doch eine Ausbildung als Krankenpfleger. Es gibt eine freie Stelle im Unfallkrankenhaus.

▶ 4|12 b **Sehen Sie die Fotos an und hören Sie. Was möchte die Frau auf dem Amt? Was erklärt der Mann?**

• Automat

▶ 4|12 c **Hören Sie noch einmal. Wie ist die Reihenfolge im Text? Ordnen Sie die Dialogteile.**
Wer sagt was? Ordnen Sie zu.   der Mann = M   die Frau = F

a ___ Wenn Sie es sagen, …
b 1 Ich brauche einen neuen HR Reisepass, der alte ___ Pass ist abgelaufen, bin ich hier richtig? ___ F
c ___ Man sieht schon, dass wir Schwestern sind … die blonden ___ Haare, das runde ___ Gesicht, die blauen ___ Augen … was meinen Sie?
d ___ Das ist meine Nummer, entschuldigen Sie mich.
e ___ Außerdem brauchen Sie zwei neue ___ Passfotos, und Sie müssen ein grünes ___ Formular ausfüllen.
f ___ Das ist unser Bruder, ein attraktiver ___ Mann, finden Sie nicht auch? …
g ___ Die dunklen ___ Augen hat er von unserer Mutter, und auch die breite ___ Nase … eine neue ___ Brille hat er jetzt auch, … und er trägt alte ___ T-Shirts, wie mein Enkel …

d **Lesen Sie die Regeln für die Adjektivdeklination. Ordnen Sie die vier Regeln (HR, SR1, SR2, PL1)**
den unterstrichenen Adjektiven in c zu.

Adjektivdeklination (1)	
Regeln	**Beispiele**
Hauptregel (HR): meistens -en	einen roten Pullover, die dunklen Haare, mit einem neuen Pass, mit einer weißen Bluse
Im Singular:	
Singularregel 1 (SR1): nach • der, • das, • die, • eine -e	der neue Pass, das runde Gesicht, die lange Nase, eine weiße Bluse
Singularregel 2 (SR2): nach ein • -er, • -es	ein neuer Pass, ein rundes Gesicht
Im Plural:	
Pluralregel 1 (PL1): • „Nullartikel" (ohne Artikel) im Nominativ und Akkusativ -e	dunkle Haare

AB **B2 Was brauche ich?**

a   Was passt? Ergänzen Sie die Situation. Ergänzen Sie dann die Adjektivendungen in den Listen.
Achtung: Zwei Dinge passen nicht in die Listen. Welche sind das?

Situation: in der Wohnung   zum Kochen   im Kurs   im Bahnhof   auf dem Amt   beim Sport
im Urlaub   im Kühlschrank   im Kleiderschrank   in der Stadt

_____ braucht man   _____ braucht man   zum Kochen

einen blau **en** Kugelschreiber   einen groß____ Topf
ein grün____ Formular   ein scharf____ Messer
neu____ Passfotos   einen halb____ Liter Motoröl
den alt____ Reisepass   ein groß____ Glas Milch
einen neu____ Lichtschalter   ein frisch____ Ei
die eigen____ Geburtsurkunde   eine reif____, rot____ Tomate

b   Schreiben Sie selbst ein oder zwei Listen zu einer Situation in a.
Jede Liste darf einen Fehler enthalten.

Bett   Schrank   Heft   groß   bunt   blau   toll   schön   schwierig   billig
Koffer   Ticket   Fußball   lustig   müde   zufrieden   nervös   freundlich   lang
Buch   Sonnenschirm   kurz   frisch   ruhig   kalt   sauber   jung   reich   dick
Schinken   Hemden   ...   fleißig   leer   günstig   wunderbar   weich   hart   ...

_____ braucht man: ein großes Bett, einen großen Schrank, ...

c   Lesen Sie Ihre Liste vor. Die anderen erraten die Situation.
Enthält Ihre Liste einen Fehler? Die anderen finden ihn.

B3 Familienähnlichkeiten

a   Ergänzen Sie die Texte.

1   Das rund____ Gesicht hat mein Onkel von meinem Großvater.
Auch mein Opa hatte einen klein____ Bart, genauso wie mein
Onkel. Die breit____ Nase hat mein Onkel aber von meiner
Großmutter. Er trägt gern weit____ Hosen, auf dem Bild sieht
man ihn aber mit Schwimmbrille.

2   Irene ist meine Schwester. Die blond____ Haare hat sie von
meiner Mutter, und auch die klein____ Nase und den breit____
Mund. Die braun____ Augen haben wir beide aber von
unserem Vater.

mein Onkel • Bart   meine Schwester

b   Schreiben Sie Sätze über sich, Ihre Familie oder Ihre Freunde.

lang   kurz   groß   blond   klein   breit   schmal   rund   oval   ...

Die ... Augen / Ohren / Haare / Hände / Beine / ... habe ich /
hat meine Schwester / mein Bruder / mein Sohn / meine Tochter / ... von ...
Meine Schwester / ... sieht aus wie meine Mutter / ...
Die Nase / Figur / ... Das Gesicht / Den Mund / ... hat ...

c   Partnerarbeit. Lesen Sie Ihre Sätze aus b und sprechen Sie.

Mein Bruder ist
älter als ich, er ...

AB **C1 Freundschaften**

a **Wer ist für Sie wichtiger? Die Freunde oder die Familie?**
Sprechen Sie im Kurs.

Meine Freunde sehe ich öfter
als meine Familie.

▶ 4|13 b **Lesen Sie und hören Sie den Text.**
Welche drei Überschriften passen
zu den Textabschnitten A, B und C?
Ordnen Sie zu.

1 Wichtiger als die Freundin
2 Der Unterschied zwischen Männer-
   und Frauenfreundschaften
3 Auch Familienpflichten machen eine
   gute Freundschaft nicht kaputt
4 Wichtiger als der Ehepartner
5 Gemeinsame Aktivitäten sind für
   Frauenfreundschaften sehr wichtig
6 Die Familie macht Freundschaften kaputt

Die beste Freundin

A   Die beste Freundin ist manchmal wichtiger als der Ehepartner. Von tausend Frauen sagten 92 Prozent
    in einer Umfrage, dass sie nicht ohne ihre beste Freundin leben wollen. Über ihren Partner sagten das
    nicht so viele.

B   Schwierig wird die Beziehung[1], wenn eine Freundin eine Familie hat. Neben dem Job und der Familie
  5 ist dann oft nicht genug Zeit für lange Telefongespräche oder den gemeinsamen Besuch im Café.
    Manchmal verliert man sich da aus den Augen. Wenn man sich aber Jahre später wieder trifft, ist es
    meistens wieder so, wie es immer war.

C   Auch Männerfreundschaften halten oft jahrzehntelang. Doch Freundschaften zwischen Männern sind
    anders als Freundschaften zwischen Frauen, sagen die Psychologen. Frauen möchten Erfahrungen
 10 und Gefühle austauschen. Sie brauchen vor allem eine gute Gesprächspartnerin. Männer verbringen[2]
    ihre Zeit meistens mit gemeinsamen Aktivitäten, wie Hobbys oder Sport.

[1] was zwischen Personen passiert   [2] irgendwo sein und etwas tun

c **Lesen Sie den Liedtext. Welcher Abschnitt (A–C) vom Text in b passt zu welcher Strophe (1–4) vom Lied?**

Wir lassen uns gemeinsam gehen …

1 ☐ *Mein Alltag ist eigentlich voll mit Geschenken:*
   die Kinder, mein Mann, der Job, das Haus …
   doch er lässt mich nur an das Morgen denken.
   Vergangenes hat kaum 'ne Chance.

2 ☐ *Dein Anruf hat mich aufgeweckt,*
   die alten Zeiten sind wieder da,
   wir haben uns beide wiederentdeckt[1],
   wir sind uns wieder wie damals nah.

3 ☐ *Du lässt mich deine Träume lesen,*
   ich lass dich meine Gefühle sehen,
   du lässt mich deine Gedanken denken,
   wir lassen uns beide gemeinsam gehen.

4 ☐ *Beste Freundinnen schon damals,*
   den Weg auch heut' gemeinsam gehen,
   gemeinsam denken, fühlen – wie damals,
   den anderen sehen, das heißt verstehen.

[1] wiederfinden

d **Was bedeutet dasselbe? Finden Sie**
passende Sätze in den Abschnitten
und in den Strophen wie im Beispiel.

Im Text steht: Schwierig
wird die Beziehung, wenn eine
Freundin eine Familie hat.

Im Lied heißt es: Mein Alltag lässt
mich nur an das Morgen denken …

▶ 4|14 e **Hören Sie das Lied.**

AB **C2 Wer lässt wen was tun?**

Mein Chef lässt mich Urlaub nehmen. ≈
Mein Chef sagt, dass ich Urlaub nehmen darf/kann.

a Zeichnen Sie Pfeile und schreiben Sie Sätze
wie im Beispiel.

mein Beruf

Ich → mein bester Freund

mein Haustier   mein Chef   ...

meine beste Freundin   meine Schwester

mein Vater   meine Kursleiterin / mein Kursleiter

seine/... Computerspiele spielen
seine/... Bücher lesen
am Wochenende lange schlafen
mit seinem/... Auto/Moped/Fahrrad/... fahren
in seiner/... Wohnung wohnen
laut Musik hören   in Ruhe frühstücken
an ... denken   Dialoge spielen ...

Ich lasse meinen besten Freund mit meinem Moped fahren.

b Gruppenarbeit. Lesen Sie Ihre Sätze vor und sprechen Sie.

Ich lasse meinen besten Freund ...

AB **C3 Kennenlernen im Sprachtandem**

a Lesen Sie und beantworten Sie die Fragen.

1 Wie funktioniert das Tandem-Sprachportal im Internet?
2 Was möchte Michaela?

TANDEM-SPRACHPORTAL

Tipps:

Finde deinen Briefpartner. Schreibt euch in
beiden Sprachen. Manchmal kannst du Dinge
in deiner eigenen Muttersprache besser und
genauer sagen, und dein Partner kann sein
Leseverstehen üben. Wenn du möchtest, dass
dein Partner sich auf besondere Punkte konzentriert (Artikel, Verbendungen, Adjektivendungen),
dann schreib ihm das. Lass ihn auch deine Texte
korrigieren. Hier findet ihr Ideen für <u>Gesprächs-
themen</u>. Kommentiert immer eure Texte.

Viel Spaß!

Michaela
Ich suche: Alle
Sprachen
Ich biete: Deutsch

Hallo,
ich heiße Michaela und studiere Sprach-
wissenschaften in Leipzig. Ich suche einen
Sprachpartner für ein E-Mail-Tandem. Ich
spreche Englisch und ein bisschen Französisch. Aber ich interessiere mich auch
für andere Fremdsprachen. Ich reise gern,
mag Musik und treffe gern Freunde. Im
Sprachtandem würde ich gern neue Freunde
kennenlernen. Vielleicht können wir uns
später auch einmal in Deinem oder meinem
Heimatland treffen. Wie gesagt, ich reise
gern. Schreib doch!   Michaela

b Wählen Sie aus der Liste mit Gesprächsthemen drei oder vier Themen aus
und schreiben Sie eine E-Mail an Michaela.

– Familie *(Ich habe ... | Mein/Meine ... heißt und ist ... alt.)*
– Hobbys *(Ich ... gern ... | Am liebsten ... ich ...)*
– Haustiere *(Ich habe ...)*
– Lieblingsmusik *(Ich höre gern ... | Meine Lieblingsband ist ...)*
– Tagesablauf *(Ich stehe ... auf, dann ... | Am Nachmittag / Am Wochenende ...)*
– Heimatstadt *(Ich wohne in ... | Die Stadt ist ... | Es gibt ...)*
– Gefühle *(Ich ärgere mich, wenn ... | Ich freue mich, wenn ...)*
– das Wetter in meinem Heimatland *(Im Winter ist es ... | Es sind ... | Es gibt ...)*
– meine Wohnung *(Wir haben ... | Es gibt ...)*
– Urlaub und Ferien *(Wir fahren/fliegen im Sommer nach ... Dort kann man ...)*
– Ausbildung und Beruf *(Ich bin ... von Beruf | Ich habe ... abgeschlossen ...)*
– ein Problem mit einem Freund / einer Freundin *(Ich hatte ... | Ich war ...)*
– Kleidung und Einkaufen *(Ich trage gern ... | Ich habe ... gekauft.)*
– meine Fernsehgewohnheiten *(Ich sehe gern ...)*

GRAMMATIK

Verb

reflexive Verben

	sich freuen	
ich	freue	mich
du	freust	dich
er/es/sie	freut	sich
wir	freuen	uns
ihr	freut	euch
sie/Sie	freuen	sich

auch:
sich vorbereiten,
sich ärgern,
sich konzentrieren,
sich streiten ...

> Sie sind ein Jahr unterwegs?

> Meine 500 Facebookfreunde freuen sich sicher, wenn ich komme.

Nomen

manch-

	Nominativ	Akkusativ	Dativ
Singular			
• maskulin	mancher Zuschauer	manchen Zuschauer	manchem Zuschauer
• neutral		manches Team	manchem Team
• feminin		manche Show	mancher Show
Plural			
•		manche Szenen	manchen Szenen

Vergleichen Sie *der/das/die, dieser, welcher, jeder*

Adjektivdeklination – Regeln (1)

Regeln	Beispiele
Hauptregel (HR): meistens -en	einen roten Pullover, die dunklen Haare, mit einem neuen Pass, mit einer weißen Bluse
Im Singular:	
Singularregel 1 (SR1): nach • der, • das, • die, • eine -e	der neue Pass, das runde Gesicht, die lange Nase, eine weiße Bluse
Singularregel 2 (SR2): nach ein • -er, • -es	ein neuer Pass, ein rundes Gesicht
Im Plural:	
Pluralregel 1 (PL1): • „Nullartikel" (ohne Artikel) im Nominativ und Akkusativ -e	dunkle Haare

Adjektivdeklination nach unbestimmtem Artikel *ein-*

	Nominativ	Akkusativ	Dativ
Singular			
• maskulin	ein weißer Pullover	einen weißen Pullover	einem weißen Pullover
• neutral		ein weißes Hemd	einem weißen Hemd
• feminin		eine weiße Bluse	einer weißen Bluse
Plural			
•		weiße Pullover	weißen Pullovern

Adjektivdeklination nach bestimmtem Artikel *der/das/die*

	Nominativ	Akkusativ	Dativ
Singular			
• maskulin	der weiße Pullover	den weißen Pullover	dem weißen Pullover
• neutral		das weiße Hemd	dem weißen Hemd
• feminin		die weiße Bluse	der weißen Bluse
Plural			
•		die weißen Pullover	den weißen Pullovern

REDEMITTEL

eine Person beschreiben

Er/Sie sieht aus wie ...
Er/Sie hat dunkle/blonde/... Haare.
Er/Sie hat ein rundes/... Gesicht.
Er/Sie trägt gern weite/... Hosen.
Den breiten Mund / ... hat er/sie von ...

Ich brauche ...

Was brauchst du / brauchen Sie zum Kochen / ...?
Da brauche ich einen großen Topf / ...

auf dem Amt

Ich brauche einen neuen Pass / ...
Haben Sie die Gebühr schon bezahlt?
Bitte füllen Sie das Formular aus / ...
Unterschreiben Sie bitte hier.
Sie bekommen Ihre Papiere / ...

über Beziehungen sprechen

Wann habt ihr euch / haben Sie sich kennengelernt?
Wann habt ihr euch / haben Sie sich getroffen?
Wann habt ihr / haben Sie geheiratet?
Ich lasse meinen besten Freund / ... in meiner Wohnung wohnen / ...

nützliche Sätze

Im Text steht: ...
Im Lied heißt es: ...

Ist das der
Strand,
der dir so gefällt?

Ferien in der Kindheit

a   Wo waren Sie als Kind in den Ferien? Wie haben Sie Ihre Ferien erlebt?
    Machen Sie Notizen wie im Beispiel.

Wo? zu Hause   bei meinen Großeltern/...   im Inland   im Ausland
am Meer   in den Bergen   auf dem Land   ...

Was? Sportaktivitäten   Sehenswürdigkeiten besichtigen   einkaufen
nichts tun   Spiele spielen   baden

in den Alpen wandern ☹ am Meer ... ☺

b   Lesen Sie. Was fand Rena an ihren Campingurlauben gut,
    was hat ihr nicht gefallen?

Rena: Mit unseren Eltern haben wir als Kinder meistens
Campingurlaub am Meer gemacht. Das hat mir gut gefallen. Das Leben auf dem Campingplatz war interessant und
lustig. Einmal haben wir eine Campingreise durch Österreich gemacht. Da haben wir jede Nacht auf einem anderen Campingplatz übernachtet. Am Tag haben wir dann
Sehenswürdigkeiten besichtigt. Das fand ich als Kind nicht
so toll. Heute würde ich das aber gern noch einmal machen.

c   Schreiben Sie einen Text mit Ihren Ideen aus a und sprechen Sie mit Ihrer Partnerin / Ihrem Partner.

Als Kind /... war ich mit meinen Eltern jedes Jahr /... in den Alpen wandern /...
Das hat mir gar nicht gefallen / viel Spaß gemacht /... Einmal war ich bei
meinen Großeltern /... Da habe / durfte / konnte /... ich ... Heute würde ich ...

*Als Kind war ich mit
meinen Eltern ...*

– über Reisegewohnheiten
  sprechen
– Informationen einholen
– Gegenstände beschreiben

GRAMMATIK
– Zeitadverbien
– Ortsadverbien
– Relativsätze im
  Nominativ
– Adjektivdeklination –
  Superlativ
– Genitiv

WORTSCHATZ
– Reise und Unterkunft
– Maß- und Mengen-
  angaben

A1 Wieder zu Hause …

a Lesen Sie die Anzeigen in einem Reiseprospekt. Welche Informationen bekommen Sie? Schreiben Sie.

1

Zu Fuß über die Alpen …

In zehn Tagen von Deutschland
nach Italien.
Bergwanderung, Übernachtung
in Mehrbettzimmern

2

**Früh buchen und billig reisen –
Tauchurlaub in der Karibik**

Termine: Januar und Februar
(fünf Tage inklusive Flug und
Halbpension)

3

Mit dem Bus durch Ungarn

Reiseführer, 4 x Übernachtung und
Frühstück (★ ★ ★ Dreisternehotels)

Reise	Dauer	Verkehrsmittel	Unterkunft
1 zu Fuß über die Alpen	10 Tage	zu Fuß	M…

b Partnerarbeit. Welche Reise würden Sie gern machen, welche nicht? Warum? Sprechen Sie.

kulturell interessant sein   keine Kälte und keinen Schnee mögen
günstig sein   gern / nicht gern wandern   gern tauchen   …

*Ich würde gern die Reise 1 machen.
Ich wandere gern …*

▶ 4|15 c **Lesen Sie und hören Sie die Texte. Beantworten Sie die Fragen.**

1 Wer hat welche Reise in a gemacht?
2 Wer fühlt sich nach dem Urlaub wohl, wer nicht?

Endlich Urlaub! … Und danach?

**Nicht immer findet man nach dem Urlaub sofort in
den Alltag zurück. Drei Urlauber erzählen uns, wie
es ihnen nach ihren Urlaubsreisen zu Hause geht.**

Hier sind es minus 15 Grad, auf der Karibikinsel
5 waren es plus 30 Grad! Ich finde den schnellen
Wechsel vom Sommer in den Winter gar nicht toll.
Außerdem bin ich ziemlich müde. Der Rückflug hat
22 Stunden gedauert, weil wir zweimal umsteigen[1]
mussten. Deshalb war der Urlaub ja auch so günstig.
10 Aber es war wirklich schön: Der weiße Sandstrand,
der direkt vor unserem Hotel lag, die Millionen
Sterne, die man nachts am Himmel sehen konnte,
und natürlich die vielen fantastischen Fische, die
wir beim Tauchen gesehen haben … *Kathrin Wulf*

15 Wir freuen uns schon: Nächste Woche können wir
unseren Freunden die Fotos zeigen, die wir mit
unserer neuen Kamera gemacht haben. Die Reise

war prima. Wir haben sehr viel gesehen. Am besten
waren die Besichtigungen, die wir gemacht haben,
20 und auch unser Reiseführer, der immer perfekt
vorbereitet war. Auch die Unterkünfte waren in
Ordnung. Am liebsten würden wir gleich wieder
wegfahren. Die nächste Kurzreise, die wir planen,
geht nach Norwegen.   *Gerti und Helmut Oberer*

25 Drei Wochen lang war alles so einfach. Ein kleines
Frühstück, eine lange Wanderung, ein gemütlicher
Abend in der Berghütte und dann die Nacht im
Achtbettzimmer. Nach sieben bis acht Stunden zu
Fuß schläft man fantastisch. Mit dem Alltag muss
30 ich jetzt erst wieder zurechtkommen. Da ist das
Büro, das mich erwartet, da sind die vielen E-Mails,
die ich beantworten soll, und da sind meine Freunde, die sich mit mir treffen wollen. Das war vorges-
tern alles noch so weit weg, jetzt macht es mich
35 nervös.   *Niklas Müllner*

[1] aus einem Verkehrsmittel aussteigen und in ein anderes einsteigen

d Urlaub und Alltag. Lesen Sie noch einmal den Text in c. Wer hat das erlebt? Wann? Im Urlaub oder im Alltag?
Ordnen Sie zu und ergänzen Sie die Tabelle wie im Beispiel.

			Person	im Urlaub	im Alltag
1 der Sandstrand,	die wir mit unserer Kamera gemacht haben	1	Kathrin	X	
2 das Büro,	das auf mich wartet	2			
3 die nächste Reise,	die sich mit mir treffen wollen	3			
4 die Sterne,	die wir planen	4			
5 die Fotos,	der direkt vor dem Hotel lag	5			
6 die Freunde,	die man nachts am Himmel sehen konnte	6			

Relativsatz (Nominativ)
Der Sandstrand lag direkt vor dem Hotel.

Der Sandstrand, der direkt vor dem Hotel lag.

• Sandstrand, der ...
• Büro, das ...
• nächste Reise, die ...
• Sterne, die ...

AB A2 Vor der Reise, auf der Reise, nach der Reise ...

a Schreiben Sie zuerst die Relativsätze. Ordnen Sie dann die Sätze zu.

1 ein Reiseführer, (sehr viel reden)
2 zwei Koffer, (noch im Keller stehen)
3 Flugtickets, (noch nicht bezahlt sein)
4 eine Zahnbürste, (zu Hause liegen)
5 Ansichtskarten, (nicht angekommen sein)

6 Blumen, (kein Wasser haben)
7 ein Hotel, (noch nicht fertig gebaut sein)
8 Kinder, (im Pool laut spielen)
9 ein Reisepass, (nicht mehr gültig sein)
10 Hemden, (bei der Reinigung sein)

1 Ein Reiseführer, der sehr viel redet.
2 Zwei Koffer, die noch im Keller stehen.

vor der Reise	auf der Reise	nach der Reise
2	1	

b Partnerarbeit. Was stört Sie? Markieren Sie die Sätze in a mit ☹. Vergleichen Sie.

Ich finde es furchtbar, wenn ...

Das stört mich nicht!

▶ 4 | 16 c Reisevorbereitungen. Hören Sie und finden Sie die Antworten.

1 Welche Reise aus 1a wollen Helmut und Gerti machen?
2 Was machen sie auf der Reise morgens, vormittags, mittags und abends?
3 Wer möchte alles vor der Reise planen?
4 Was möchte die andere Person am liebsten?

Adverb – temporal
morgens, vormittags, ...
= jeden Morgen, jeden Vormittag ...
montags, dienstags, ...
= jeden Montag, jeden Dienstag, ...
wochentags = jeden Wochentag
werktags = jeden Werktag

d Partnerarbeit. Lesen Sie die Fragen, machen Sie Notizen und sprechen Sie.

1 Planen Sie eine Reise immer ganz genau oder reisen Sie lieber spontan, ohne Planung?

alles schon lange vor dem Urlaub planen, ...

2 Wie bereiten Sie Ihren Urlaub vor? Was machen Sie vor dem Urlaub?

ins Reisebüro gehen, mit der Nachbarin sprechen, ...

3 Was machen Sie in Ihrem Urlaub gern?

morgens: lange frühstücken, ...
vormittags: nichts tun, ...
mittags: ...

nachmittags: ...
abends: ...
nachts: ...

Ich plane alles schon lange vor dem Urlaub. Ich gehe ins Reisebüro ... Im Urlaub ...

AB **B1 Hotels im Internet**

a **Lesen Sie die Anzeigen. Welches Hotel passt für wen?**

a ein Geschäftsmann auf Geschäftsreise
b eine Gruppe Studenten in den Ferien

Das Hotel Lindenhof ist ein komfortables Viersternehotel direkt im Stadtzentrum. Alle Zimmer haben Balkon, Dusche, Bad und Internetzugang. Das Hotel hat ein eigenes Wellness-Center mit einem Fitnessraum, einer Sauna und einem Schwimmbad. Außerdem gibt es eine Tiefgarage.
Ausflugsservice: Wir organisieren Ausflugsprogramme ganz nach Ihren Wünschen.

Die Jugendherberge „Am Park" bietet vor allem größeren Gruppen eine günstige Unterkunft nicht weit vom Stadtzentrum entfernt. Neben Mehrbettzimmern für sechs oder acht Personen bietet die Jugendherberge auch Einzel- oder Doppelzimmer mit Dusche oder Bad. Gratis[1] WLAN in jedem Zimmer. Parkplätze findet man in den Straßen rund um die Jugendherberge. Wunderschöne Dachterrasse mit Blick auf das Stadtzentrum.

[1] kostet nichts

b **Lesen Sie den Text in a noch einmal. Ergänzen Sie die Informationen in der Tabelle.**

	Hotel Lindenhof	Jugendherberge „Am Park"
Lage	im Stadtzentrum	
Zimmer		
Internet		
Fitness		
Parkmöglichkeit		
Besonderheit	Balkon	

c **Partnerarbeit. Eine Unterkunft, die Sie gut kennen.**
Schreiben Sie eine Liste wie in b und sprechen Sie.

Die Pension ... ist in ... Sie liegt im ...
Die Zimmer sind ... Aber es gibt kein ...

AB **B2 Viel zu billig?**

▶ 4|17 a **Hören Sie. Was hat das Hotel? Kreuzen Sie an.**
Wie viel kostet eine Übernachtung in dem Hotel? Notieren Sie.

Eine Übernachtung kostet _____

Clarissa   Leandro

▶ 4|17 b **Hören Sie noch einmal. Was passt? Ergänzen Sie die Fragesätze.**

das Apartment   ~~ein Zimmer~~   Bad   eine Garage   bar bezahlen   das Hotel
Parkmöglichkeiten   einen Fitnessraum   das Frühstück extra bezahlen   einen Internet-Anschluss

a Wie viel kostet **ein Zimmer** ?
b Hat das Zimmer _____ ?
c Wo liegt _____ ?
d Gibt es _____ ?
e Muss man _____ ?

c Partnerarbeit. Lesen Sie die Rollenkarten und die möglichen Probleme. Sprechen Sie dann wie im Beispiel.

Partner A:
Sie haben ein sehr günstiges Hotelzimmer im Internet gefunden, das Sie gern buchen möchten. Beschreiben Sie, was das Zimmer alles hat. Es gibt ein kleines Problem mit dem Zimmer, Sie finden es aber nicht so schlimm.

Partner B:
Ihr Partner hat ein günstiges Hotelzimmer im Internet gefunden. Fragen Sie, wie viel das Zimmer kostet und was das Zimmer hat. Es gibt ein Problem mit dem Zimmer. Sie finden das Problem sehr schlimm.

Mögliche Probleme:

das Hotel wird renoviert   man muss in der Hotelküche mitarbeiten   das Hotel ist auch eine Tierpension
die Zimmer sind schmutzig   es ist sehr laut   es gibt kein Wasser / keine Heizung /...
das Hotel liegt neben der Autobahn / ...   man muss seine eigenen Decken, Kissen und Handtücher mitbringen   ...

● *Ich habe ein günstiges Zimmer gefunden!*
● *Ja/Nein, ... Und es gibt ein kleines Problem, ...*
  Aber ich glaube, das ist nicht so schlimm.
● *Aber nein, wir können ...*

■ *Hat das Zimmer ...? Gibt es ...? Kann man ...? Muss man ...?*

■ *Doch. / Im Gegenteil. Das ist sehr schlimm!*

AB **B3 Wo ist der Fitnessraum?**

a Finden Sie die Gegenteile und ergänzen Sie.

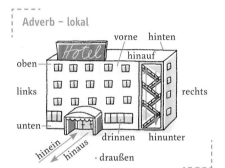

┌──────────────┐
Adverb – lokal
└──────────────┐

Wo?
1 hier – <u>dort / dort drüben</u>
2 drinnen – _____
3 unten – _____
4 rechts – _____
5 vorne – _____

Wohin?
6 hinauf – _____
7 hinein – _____

auch: herauf, herunter, herein, heraus

▶ 4|18 b Hören Sie die Gespräche an der Rezeption. Ergänzen Sie die Orte ( ) und Wörter aus a ( ).

hin...   her...

Frühstücksraum   Schwimmbad   Aufzug
Ausgang   ~~Parkplatz~~   Diskothek   Ausgang

1 Gehen Sie hier <u>hinaus</u>, der <u>Parkplatz</u> ist _____, direkt vor dem Hotel.
2 Der _____ ist im ersten Stock, gehen Sie die Treppe _____ und dann nach _____.
3 Der _____ ist _____ neben der Treppe.
4 Das _____ ist _____ auf der Dachterrasse. Fahren Sie mit dem Aufzug ganz _____.
5 Die _____ ist _____. Gehen Sie einfach die Treppe _____.
6 Der _____ _____ führt auf die Goethestraße, der _____ _____ auf den Schillerplatz.

c Schreiben Sie einen Satz mit den Unterstreichungen auf ein Blatt Papier. Geben Sie das Blatt Ihrer Partnerin / Ihrem Partner.

1 <u>Hier</u> ist <u>sie</u> glücklicher als <u>dort</u>.
2 <u>Er</u> stand <u>oben</u> und schaute <u>hinunter</u>.
3 <u>Vorne</u> hatten <u>sie</u> einen großen Garten, <u>hinten</u> war ein Schwimmbad.
4 <u>Drinnen</u> war <u>es</u> kalt, <u>draußen</u> war <u>es</u> warm.
5 <u>Sie</u> wollten <u>hineinkommen</u>, mussten aber <u>draußen</u> bleiben.

1 <u>Hier</u> ist <u>sie</u> glücklicher als <u>dort</u>.

d Sie bekommen ein Blatt mit einem Satz. Wählen Sie ein unterstrichenes Wort aus. Streichen Sie das Wort durch und schreiben Sie dort ein Nomen mit oder ohne Artikel/Präposition. Geben Sie Ihr Blatt an den rechten Nachbarn weiter. Machen Sie so weiter, bis alle Wörter ersetzt sind wie im Beispiel.

1 ~~Hier~~ ist ~~sie~~ glücklicher als ~~dort~~.

In Köln ist <u>sie</u> glücklicher als <u>dort</u>.
In Köln ist meine Freundin glücklicher als <u>dort</u>.
In Köln ist meine Freundin glücklicher als in Hamburg.

e Lesen Sie jetzt die fertigen Sätze vor.

AB **C1 Wie groß, wie schnell, wie schwer ...?**

a Ergänzen Sie die Tabelle mit den Fragen (a-g) und den Abkürzungen (1-13).

a Wie breit ...?   b ~~Wie lang ...?~~   c Wie kalt/warm ...?

d Wie hoch ...?   e Wie schwer ...?

f Wie schnell ...?   g Wie lange ...?

1	h	4	mm	7	m	10	°
2	cm	5	~~km~~	8	' (min)	11	t
3	kg	6	km/h	9	" (s)	12	g

Wie lang ...?
- Länge
- Breite
- Höhe

  - Kilometer __km__
  - Zentimeter _____
  - Meter _____
  - Millimeter _____

- Geschwindigkeit • Stundenkilometer (Kilometer pro Stunde) _____

- Zeit • Stunde _____ • Minute _____ • Sekunde _____

- Gewicht • Tonne _____ • Kilogramm _____ • Gramm _____

- Temperatur • Grad _____

b Partnerarbeit. Lesen Sie die Texte. Was glauben Sie?
Welche Angaben passen zu den Verkehrsmitteln? Ordnen Sie zu.
Fragen und antworten Sie dann wie im Beispiel.

275 t   ~~450 t~~   3,89 m   1770 mm   24,1 m   2,95 m   415
853   289 g   380 g   330 km/h   315 km/h

> Adjektivdeklination – Superlativ
> Der Airbus ist das größte Flugzeug.

ICE
Der Hochgeschwindigkeitszug ist fast doppelt so schnell wie normale Züge. Er fährt auf den wichtigsten deutschen Bahnlinien.

Airbus A380
Der Airbus ist das größte Passagierflugzeug weltweit. Die Lufthansa fliegt mit dem Airbus Langstreckenflüge nach Asien, Afrika und Amerika.

Porsche GT3
Der Porsche GT3 gehört zu den schnellsten Autos auf den deutschen Autobahnen. Er kostet 137 000 €.

	ICE	Airbus	Porsche
Länge/Breite/Höhe	200 m / ____ / ____	72,3 m / 79,8 m / ____	4430 mm / ____ / 1275 mm
Gewicht	450 t	____	1370 kg
Höchstgeschwindigkeit	____	950 km/h	____
Sitzplätze	____	____	2
CO$_2$ pro Person/km	40 g	____	____

- ● Was meinst du? Wie schwer ist das Flugzeug?
- ■ Ich glaube ... Tonnen. W...
- ● ...

Was meinst du? Wie schwer ist das Flugzeug /...?
Wie schnell ist der Porsche /...?
Wie viele Sitzplätze hat ...?
Wie viel CO$_2$ gibt ... an die Umwelt ab?
Wie lang/breit/hoch/... ist ...?

▶ 4|19 c Hören Sie und vergleichen Sie.

AB **C2 Probleme auf der Reise**

a Ordnen Sie die Probleme den Verkehrsmitteln zu. Sammeln Sie weitere Probleme.

~~Autoschlüssel verlieren~~   Gepäck vergessen   Reifen kaputt sein   Verspätung haben   Licht nicht funktionieren
beim Umsteigen den Bahnsteig nicht finden   neblig sein   Ticket verlieren   im Stau stehen   ...

Zug	Auto	Flugzeug
...	Autoschlüssel verlieren	...

b Denken Sie an ein Problem, das Sie auf einer Reise hatten. Machen Sie Notizen. Die Fragen helfen Ihnen.

1 Wohin sind Sie gereist?
2 Mit wem sind Sie gereist?
3 Welches Problem hatten Sie?

4 Hat Ihnen jemand geholfen?
5 Konnten Sie das Problem lösen?

1 mit dem Auto nach ...
2 mit einem Arbeitskollegen

c Partnerarbeit. Erzählen Sie von Ihren Problemen.

▶ 4|20 d **Hören Sie. Was ist richtig? Kreuzen Sie an.**

1 Die Personen haben ☐ kein Hotel. ☐ keine Bordkarten. ☐ kein Gepäck.
2 Die Personen sind ☐ mit dem Flugzeug ☐ mit dem Auto ☐ mit der Bahn gereist.
3 Die Frau am Schalter kann den Personen ☐ den Weg zeigen. ☐ helfen. ☐ ein Hotel empfehlen.

▶ 4|20 e **Hören Sie noch einmal. Was fragt die Frau am Schalter? Ergänzen Sie die Fragen.**

Name des Hotels:	W___ h_____ d___ H_____ ?
Adresse des Hotels:	W_____ i___ d____ A_____ ?
Farbe des Koffers:	W_____ F_____ h___ d_____ K_____ ?
Farbe der Reisetaschen:	W_____ F_____ h___ d___ R_____ ?
Farbe der anderen Tasche:	W_____ F_____ h___ d___ a_____ T_____ ?

Nominativ	Genitiv
die Farbe	des • Koffers
die Farbe	des • Autos
die Farbe	der • Tasche
die Farbe	der • Taschen

f Was meinen Sie? Wer möchte was wissen? Ordnen Sie zu. Ergänzen Sie die Genitivformen.
Schreiben Sie dann passende Fragen wie im Beispiel.

A Gast   B Rezeptionist

A die Lage (Hotel)   die Lage des Hotels   Wo liegt das Hotel?
☐ den Preis (Zimmer [Pl.])
☐ die Sehenswürdigkeiten (Stadt)
☐ die Dauer (Aufenthalt)
☐ den Namen (Gast)   den Namen des Gastes
☐ die Art (Bezahlung)
☐ die Höhe (Rechnung)
☐ die Öffnungszeiten (Restaurant)

g Partnerarbeit. Bereiten Sie Ihre Rollen vor und spielen Sie dann das Rollenspiel.

Partner A: Sie arbeiten an der Rezeption. Ein Gast hat in Ihrem Hotel seine Geldbörse verloren. Er ruft Sie an und bittet Sie um Hilfe. Sie müssen ein Formular ausfüllen.

Partner B: Sie haben in einem Hotel Ihre Geldbörse verloren. Rufen Sie an und bitten Sie um Hilfe.

Verlustanzeige
Name: ...   Dauer des Aufenthalts: ...   Aussehen des Gegenstands: ...
Adresse: ...   Gegenstand: ...   Besonderheiten: ...
Telefonnummer: ...   Größe des Gegenstands: ...

Nomen

Genitiv – bestimmter Artikel, unbestimmter Artikel, Possessivartikel

		Genitiv	
Singular			
• maskulin		des/dieses/eines/meines Koffers	-es + s
• neutral	die Farbe	des/dieses/eines/meines Autos	-es + s
• feminin		der/dieser/einer/meiner Tasche	-er
Plural			
•	die Farbe	der/dieser/–/meiner Taschen	-er

Adjektiv

Steigerung – Superlativ

> Der Airbus ist am größten.
> Der Airbus ist das größte Flugzeug.

Adverb

lokal *(wo?)*

unten	oben
hier	dort / dort drüben
drinnen	draußen
rechts	links
vorn(e)	hinten

lokal *(wohin?)*

hinunter ↘[1]	hinauf ↗[2]
hinein ⊡→[3]	hinaus ⊡→[4]
heraus →⊡[4]	herein →⊡[3]
herauf ↗[2]	herunter ↘[1]

[1] runter   [2] rauf   [3] rein   [4] raus

temporal *(wann?)*

morgens	jeden Morgen
vormittags	immer am Vormittag
...	...
montags	jeden Montag
dienstags	immer am Dienstag
...	...
wochentags	jeden Wochentag
werktags	jeden Werktag

Endlich ein Aktivurlaub, der auch mir gefällt.

Satz

Relativsatz – mit Relativpronomen *der/das/die* (Nominativ)

		Relativpronomen		**Satzende**
Singular				
• maskulin	Der Sandstrand,	der	direkt vor dem Hotel	lag.
• neutral	Das Büro,	das	auf mich	wartet.
• feminin	Die Reise,	die	im Prospekt	steht.
Plural				
•	Die Sterne,	die	am Himmel	sind.

REDEMITTEL

über Vorlieben sprechen

Ich würde gern die Reise ... machen.
Ich wandere gern, ich würde lieber die Reise ... machen.
Ich finde es furchtbar, wenn ...
Das stört mich nicht.
Es gibt ein kleines Problem. Aber ich glaube, das ist nicht so schlimm.
Doch. / Im Gegenteil. Das ist sehr schlimm.

über Reisegewohnheiten sprechen

Ich plane alles schon lange vor dem Urlaub / vor der Reise.
Ich gehe ins Reisebüro ...
Im Urlaub stehe ich morgens immer erst um ... Uhr auf.
Vormittags / Mittags / Nachmittags / Abends ... ich am liebsten ...

eine Unterkunft beschreiben

Die Pension / Die Jugendherberge / Das Hotel / ... ist in ...
Sie / Es liegt im ...
Die Zimmer sind ...
Es gibt ...
Aber es gibt kein- ...

Informationen einholen

Wo ist / liegt das Hotel / ...?
Hat das Zimmer Internet-Anschluss / ...?
Gibt es WLAN / ...?
Ist das Zimmer ruhig / laut / sauber / ...?
Muss man sein eigenes Kissen, seine Decke und seine Handtücher mitbringen?
Muss man das Frühstück extra bezahlen?

technische Informationen einholen

Wie schwer ist das Flugzeug / ...?
Wie schnell ist das Auto / ...?
Wie viele Sitzplätze hat ...?
Wie viel CO_2 gibt ... an die Umwelt ab?
Wie lang / breit / hoch / schwer / ... ist ...?

Wofür interessierst du dich?

in die Oper gehen

malen

fotografieren

Graffiti sprühen

eine Ausstellung besuchen

Kunst und Kultur – Erleben oder selbst machen?

a **Was machen Sie? Kreuzen Sie an und machen Sie Notizen.**

	erleben	selbst machen
Musik	X Musik hören Rock …	Musik machen singen …
Theater	ins Theater gehen …	Theater spielen …
Kunst	ins Museum gehen	zeichnen/malen
	Ausstellungen besuchen …	fotografieren …
Literatur	Bücher lesen …	Geschichten schreiben …
Film	DVDs ansehen …	Videos machen …

b **Lesen Sie. Was hat Manuel in a angekreuzt?**

Manuel: Ich höre gern Musik, aber ich mache auch gern Musik.
Ich spiele in einer Band. Wir treffen uns jede Woche im Haus
meines Freundes und proben dort. Ich habe sechs Jahre Klavier
gelernt, deshalb spiele ich in unserer Band Keyboard. Die Lieder,
die wir spielen, schreiben wir meistens selbst. Unsere Band spielt
manchmal auf Partys. Ins Theater und ins Museum gehe ich nicht
oft und ich lese auch nicht viel, weil ich zu wenig Zeit habe.

c **Schreiben Sie einen Text mit Ihren Ideen aus a und sprechen Sie mit Ihrer Partnerin / Ihrem Partner.**

Ich höre gern … Ich gehe oft zu/ins … Ich spiele …/habe … gelernt.
Lieder, die ich sehr gern höre, habe ich auf meinem Handy. Ich male/zeichne/
filme/fotografiere … Landschaften/… Die Bilder, die ich zeichne/male, …
Die Bücher/E-Books/CDs/DVDs, die ich lese, kaufe ich/leihe ich aus.

Wie oft …?

Hast du schon einmal …?

SIE LERNEN

– über Kunst und Kultur
  sprechen
– gemeinsam einen Termin
  finden
– über Lerngewohnheiten
  sprechen

GRAMMATIK
– Verben mit
  Präpositionen
– Präpositionalpronomen
  darauf, worauf
– Infinitivsätze
– Adjektivdeklination (2)

WORTSCHATZ
– Veranstaltungen
– Lernen

AB **A1 Popkultur im Internet**

a **Was passt? Ordnen Sie die Fotos den Bildunterschriften zu.**

A

B

C

• Flashmob

• Guerilla Gardening

• Geocaching

1 Menschen verabreden sich im Internet und tun gemeinsam verrückte Dinge.

2 Man sucht kleine Geschenke, die jemand in der Natur versteckt hat.
Informationen für die Suche bekommt man im Internet.

3 Auf hässlichen Plätzen in der Stadt werden Blumen oder Gemüse gepflanzt.

▶ 4|21 b **Lesen Sie und hören Sie den Text. Welche Aktion wird in a nicht gezeigt?**

Das Internet macht es möglich ...

Manche Experten sehen das Internet kritisch:
„Jeder sitzt allein vor seinem Computer und surft
im Netz", meinen sie. „Immer weniger Menschen
haben Zeit für ihre Familie oder ihre Freunde."
5 Doch die Experten irren sich[1]. Oft ist es das Inter-
net, das Menschen zusammenbringt. Für Partys,
Feste oder Ausflüge verabredet man sich heute oft
über E-Mail oder soziale Netzwerke. Eine kurze
Mitteilung[2] im Netz, und man weiß, wo und wann
10 die Veranstaltung[3] stattfindet.
Manchmal sind es aber auch verrückte Dinge, die
Internetnutzer gemeinsam unternehmen wollen.
In Braunschweig und Wien trafen sich zum Beispiel
Hunderte Menschen auf einem großen Platz. Dort
15 standen sie ganz still[4] und sahen in den dunklen
Nachthimmel. Nach zehn Minuten war die Aktion
schon vorbei[5]. „Flashmob" werden solche Veranstal-
tungen genannt.
Vor jedem Flashmob-Treffen gibt es kurze Beschrei-
20 bungen im Netz. Dort kann man auch lesen, wo und
wann das Treffen stattfindet. Fast immer gibt es
genug Internetnutzer, die sich dafür interessieren.
Manchmal wollen Menschen einfach gemeinsam
Partys feiern. Sie verabreden sich im Internet und
25 treffen sich auf einem Platz in der Stadt. „Outdoor
Clubbing" werden diese Veranstaltungen genannt.

Für viele Bürger und für manche Stadtregierungen
sind diese Partys ein Problem. Sie ärgern sich
nämlich[6] über die Müllberge, die auf den Straßen
30 und in den Parks liegen bleiben.
Manche Internetgruppen machen die Städte aber
auch schöner. Sie kümmern sich um hässliche Plätze
in der Stadt: Gemeinsam pflanzen sie Blumen und
Gemüse. Im Internet schreiben sie dann darüber.
35 „Guerilla Gardening" ist der englische Name für
diese Aktionen.
Viele Internetnutzer interessieren sich auch für
Geocaching. Auch da muss man hinaus in die Natur.
Man sucht nach Verstecken und hinterlässt dort
40 Nachrichten oder kleine Geschenke. Informationen
zu den Verstecken bekommt man im Internet. Allein
in Deutschland können sich Geocacher über mehr
als 100 000 Verstecke freuen.
Das Internet ist zu einem Medium geworden, das
45 Menschen zusammenbringt, auch wenn sie nur ihre
private Geburtstagsparty über das Netz organisieren. Doch man muss achtgeben[7], dass dabei kein
Fehler passiert. In Hamburg hat eine Jugendliche
nicht aufgepasst: Sie hat alle Menschen in ihrem
50 sozialen Netzwerk zu ihrer Geburtstagsparty eingeladen ... 1600 Personen sind dann auch wirklich
gekommen!

[1] einen Fehler machen   [2] hier: Information   [3] Konzert, Fest usw.   [4] ruhig   [5] zu Ende sein   [6] ≈ denn sie ärgern sich   [7] aufpassen

c **Lesen Sie noch einmal. Sind die Sätze richtig oder falsch? Kreuzen Sie an.**

richtig falsch

1 Internetnutzer treffen kaum andere Menschen, weil sie zu viel Zeit vor dem Computer verbringen.

2 Flashmob-Aktionen dauern immer sehr lange.

3 Nach einer Outdoor-Clubbing-Party sind die Straßen und Plätze oft sehr schmutzig.

4 Beim Geocaching sitzt man vor dem Computer und versteckt Geschenke im Internet.

5 In Hamburg kamen zu viele Gäste zu einer privaten Geburtstagsparty.

AB **A2 Wofür interessierst du dich?**

a Lesen Sie die Sätze, suchen Sie die Textstellen in 1b und ergänzen Sie die Verben und Präpositionen.

> **Verben + Präpositionen**
> **+ Akkusativ**
> sich interessieren für,
> sprechen über, …
>
> **+ Dativ**
> suchen nach,
> einladen zu, …

schreiben über   sich kümmern um   ~~sich ärgern~~ über   sich freuen über
sich interessieren für   suchen nach

1 Viele Bürger ä r g e r n sich nach den Outdoor-Clubbing-Partys
_____ den Müll.

2 Beim Guerilla Gardening __ü m m___ sich Menschen _____ hässliche
Plätze in der Stadt. Dann s c h r ___ e n sie _____ ihre Aktionen im Internet.

3 Viele Internetnutzer i_t__ e s s__ r sich _____ Geocaching. Geocacher __u c h__
_____ Verstecken. Geocacher __ e u __ sich _____ 100 000 Verstecke in Deutschland.

▶ 4|22 b Wofür interessierst du dich? Worüber ärgerst du dich? Hören Sie und ergänzen Sie.

> sich ärgern über → Worüber ärgerst du dich?   Über den Müll   Darüber musst du dich nicht ärgern.
> sich interessieren für → wofür?   für …   dafür
> sich kümmern um → worum?   um …   darum

1 ▲ Ich interessiere mich _____
   _____.
   ◆ Wie bitte? Wofür interessierst du dich?
   ▲ _____ _____, da sucht man nach
   Verstecken in der Natur. Mach doch einmal mit.
   ◆ Nein, danke, dafür interessiere ich mich nicht.

2 ● Worüber ärgerst du dich denn so?
   ■ ____ _____ _____ _____.
   Er funktioniert nicht.
   ● Ach, darüber musst du dich nicht ärgern.
   Ich kann dir sicher helfen.

c Lesen Sie die Wörter, suchen Sie weitere Beispiele und schreiben Sie sieben
persönliche Sätze wie im Beispiel.

Ausstellungen   Konzerte   Regen am Wochenende   Basketball   Politik   den Müll auf der Straße
die Katze meiner Nachbarin   Briefe   unseren Computer   …

1 Ich interessiere mich für …   3 Ich freue mich über …
2 Ich ärgere mich über …   4 Ich kümmere mich gern um …

*Ich interessiere mich
für Jazzkonzerte.*

d Partnerarbeit. Sprechen Sie über Ihre Sätze in c. Fragen und antworten Sie. Suchen Sie Gemeinsamkeiten.

● Wofür interessierst du dich?   ● Worüber ärgerst du dich?
■ Für Jazz.   ■ Über …
● Dafür interessiere ich mich auch.   ● Darüber ärgere ich mich nicht. Ich ärgere mich über …

AB **A3 Rätselsätze**

a Wofür stehen die unterstrichenen Wörter in den Rätselsätzen?
Ergänzen Sie und ordnen Sie zu.

> Bei Personen: ● Ich ärgere mich über sie.
> ■ Über wen? ● Über meine Cousine.

1 Darüber habe ich mich wirklich geärgert.   **Worüber?**   a Um unseren Großvater.
2 Ich interessiere mich nicht dafür. _____   b Für meine Schwester.
3 Ich freue mich darüber. _____   c Über seine Verspätung.
4 Jemand muss sich um ihn kümmern. _____   d Über mein Geburtstagsgeschenk.
5 Er interessiert sich für sie. _____   e Für Briefmarken.

b Partnerarbeit. Schreiben Sie persönliche Rätselsätze wie im Beispiel. Ihre Partnerin / Ihr Partner fragt.

*1 Ich erzähle gern davon.
2 Ich ärgere mich manchmal über ihn.
3 …*

1 ● Wovon erzählst du gern? Von deiner Afrikareise?
   ■ Ja, von meiner Afrikareise.
2 ● Über wen ärgerst du dich? Über deinen Kollegen?
   ■ Nein, über …

B1 Daniel und Anna

Partnerarbeit. Daniel und Anna haben sich gerade kennengelernt. Sehen Sie das Bild an.
Wofür interessieren sich die beiden vielleicht?
Was möchten sie gemeinsam machen? Kreuzen Sie an.

Ich spiele Flöte.

Musikfilme (Kino)
klassische Musik (Symphoniekonzert)
klassische Tänze (Tanzkurs)
Popmusik (Disco)
moderne Fotografie (Ausstellung)
moderne Theaterstücke (Theater)

Sie interessieren sich vielleicht für ...

Aber vielleicht möchten sie lieber in ... gehen.

AB B2 Nach dem Kennenlernen: Daniel spricht mit seinem Freund Bernd.

▶ 4|23 **a** **Hören Sie und kreuzen Sie an. Richtig oder falsch?**

	richtig	falsch
1 Daniel möchte mit Anna in die Disco gehen.		X
2 Anna hat gesagt, dass sie klassische Musik mag.		
3 Daniel kann Flöte spielen.		
4 Daniel möchte Karten für ein klassisches Konzert besorgen.		

Daniel   Bernd

▶ 4|23 **b** **Hören Sie noch einmal. Was sagt Daniel genau? Wie heißen die Sätze im Hörtext? Ordnen Sie zu.**

Ich habe Lust, Anna zu treffen.

Ich habe vor, sie anzurufen.

A ... in ein klassisches Konzert zu gehen   B ... Konzertkarten zu bekommen
C ~~... sie anzurufen~~   D ... mit ihr in die Disco zu gehen

1 Ich habe einen Plan. Ich möchte Anna anrufen. ≈ „Ich habe vor, _C_."
2 Ich möchte mit Anna in die Disco gehen. ≈ „Ich habe Lust, ____."
3 Anna möchte wahrscheinlich in ein klassisches Konzert gehen. ≈ „Wahrscheinlich hat sie Lust, ____."
4 Ich möchte Konzertkarten bekommen. Ich probiere es. ≈ „Ich versuche, ____."

AB B3 Nach dem Kennenlernen: Anna spricht mit ihrer Freundin Lisa.

▶ 4|24 **a** **Hören Sie und kreuzen Sie an. Richtig oder falsch?**

	richtig	falsch
1 Anna möchte Daniel wiedersehen.		
2 Anna ruft Daniel am Montag an.		
3 Anna denkt, dass Daniel klassische Musik mag.		
4 Anna hat Daniel gesagt, dass sie in die Disco gehen möchte.		

Anna   Lisa

▶ 4|24 **b** **Wie heißen die Sätze im Hörtext?**
Schreiben Sie. Hören Sie dann noch einmal und vergleichen Sie.

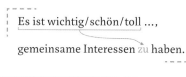

Es ist wichtig/schön/toll ...,

gemeinsame Interessen zu haben.

1 Ich rede gern mit ihm. ≈ „Es ist nett, **mit ihm zu reden.** "
2 Bei einer Verabredung muss man Telefonnummern austauschen. ≈
  „Es ist wichtig, _____"
3 Ich würde gern gemeinsam essen gehen. ≈
  „Es wäre schön, _____"
4 Man muss gemeinsame Interessen haben. ≈
  „Es ist wichtig, _____"
5 Man kann nicht immer das Richtige sagen. Das ist schwierig. ≈
  „Es ist nicht so einfach, _____"

AB **B4 Die Verabredung**

a **Was haben Anna und Daniel nächste Woche vor? Schreiben Sie Sätze.**

	Daniel	Anna
Montag	Konzertkarten besorgen	Tennis spielen
Dienstag	einkaufen gehen	Freunde einladen
Mittwoch	Überstunden machen	zum Arzt gehen
Donnerstag	ein Fußballspiel ansehen	Tante besuchen
Freitag	Flöte üben	Wohnung aufräumen

Daniel hat vor, Konzertkarten zu besorgen, einkaufen zu gehen, ...

b **Daniel möchte mit Anna ins Konzert gehen. Was glauben Sie: Was sagt Daniel? Was sagt Anna? Ordnen Sie zu.**

Daniel

1 Einladung   b

3 Terminvorschlag   ☐

5 Frage nach Termin   ☐

7 Termin = o.k., Eintrittskarten   ☐

Anna

2 Antwort + Frage nach Termin   ☐

4 Termin passt nicht   ☐

6 Terminvorschlag   ☐

8 Dank   ☐

a Ja gern. Vielen Dank, das wird schön.
b ~~Hallo Anna. Hast du Lust, nächste Woche in ein Konzert zu gehen?~~
c Tut mir leid. Da habe ich vor, meine Tante zu besuchen. Da geht es nicht.
d Wann hast du denn Zeit?
e Am Donnerstag. Hast du da Zeit?
f Am Mittwoch. Am Nachmittag muss ich …, aber am Abend habe ich Zeit.
g O. k. Ich besorge die Karten für Mittwoch.
h Ja gern. Wann denn?

c **Partnerarbeit. Spielen Sie den Dialog aus b mit den Informationen aus a. Machen Sie dann noch weitere Dialoge wie in b.**

Hallo Anna. Hast du Lust, …

Ja gern. Wann denn?

▶ 4|25   d **Hören Sie jetzt den Dialog. Was machen Daniel und Anna am Mittwochabend?**

B5 Wie findest du das?

a **Lesen Sie die Satzanfänge (1–5) und schreiben Sie fünf Sätze, die für Sie persönlich stimmen.**

einen Tag lang klassische Musik hören   einen Malkurs in Griechenland machen
~~in einer Rockband singen~~   in einem Spielfilm mitspielen   Graffitis sprühen
ein Orchester dirigieren   auf der Straße Theater spielen
mit einem Turniertänzer / einer Turniertänzerin Walzer tanzen   …

1 Es macht sicher Spaß / keinen Spaß, …
2 Ich habe Lust / keine Lust, …
3 Es ist wunderbar / langweilig / schrecklich / gefährlich / …, …
4 Ich habe vor, …
5 Ich möchte einmal versuchen, …

Es macht sicher Spaß, in einer Rockband zu singen.

Dirigieren Sie die Wiener Philharmoniker …
… im Haus der Musik!
(Videosimulation im ersten Stock)

b **Partnerarbeit. Lesen und sprechen Sie. Finden Sie Gemeinsamkeiten.**

Es macht sicher Spaß, in einer Rockband zu singen.

Ich glaube nicht. Ich mag keinen Rock.

C

Verstehen Opernsänger, was sie singen?

a **Lesen Sie das Forum im Internet. Was bedeutet „eine Sprache phonetisch lernen"?**

Opernforum

jens2: Verstehen Opernsänger die Texte, die sie in der Fremdsprache singen?

tamina: Natürlich wissen Opernsänger, was sie singen. Sie können die Lieder und Arien übersetzen, aber die Fremdsprache können sie ehrlich gesagt[1] oft nicht sprechen.

Figaro: Ich habe Operngesang studiert, und da musste ich auch Sprachkurse besuchen. Meistens lernen Opernsänger Italienisch, Deutsch und Französisch. Das sind die wichtigsten Opernsprachen. Aber wir lernen die Sprachen nur phonetisch.

beate 1: Was heißt phonetisch?

Figaro: Wir konzentrieren uns auf eine deutliche Aussprache, aber wir lernen die Sprache nicht für den Alltag.

beate 1: Ihr müsst sehr viel auswendig lernen. Das könnt ihr sicher gut, und das kann euch beim Sprachenlernen helfen.

Figaro: Das stimmt. Aber die Texte, die wir lernen müssen, kann man im Alltag nicht benutzen. In einer Mozartoper stellt sich eine Person mit einem Lied vor. Da heißt es zum Beispiel: „Der Vogelfänger bin ich ja, stets lustig, heißa hopsasa ..." Bei einem echten Bewerbungsgespräch passt das sicher nicht. ;-)

---

[1] sagen, was wahr ist ≠ lügen

b **Was steht im Text? Ordnen Sie zu.**

1 Opernsänger können	an der Musikhochschule	gut verstehen.
2 Opernsänger bekommen	deutlich zu sprechen	auch eine Sprachausbildung.
3 Für Opernsänger ist es wichtig,	können Opernsänger im Alltag	und zu singen.
4 Die Texte aus den Opern	die Texte, die sie singen,	nicht brauchen.

c **Partnerarbeit. Fremdsprachenlernen. Wie ist es bei Ihnen? Ordnen Sie die Ideen den Satzanfängen zu. Diskutieren Sie dann Ihre Sätze.**

Sendungen im Fernsehen sehen   Radiosendungen hören   Zeitungen lesen   leichte Lesetexte lesen
mit Muttersprachlern sprechen   Grammatikübungen machen   mit anderen Fremdsprachenlernern sprechen
wichtige Sätze und kurze Texte auswendig lernen   Wortlisten lernen   ...

1 Für mich ist es schwierig, ...   3 Ich versuche, ...

2 Ich finde es einfach, ...   4 Es ist wichtig, ...

Für mich ist es schwierig, fremdsprachige Zeitungen zu lesen.

Ich finde es viel schwieriger, Sendungen im Fernsehen zu sehen.

Wörter auswendig lernen: Tipps und Tricks

a **Sehen Sie die Wörter zwei Minuten an und lernen Sie die Wörter.**

• Bohne   • Feuerzeug   • Alkohol   • Turm   • Streichholz   • Creme   • Knopf   • Linie

• Loch   • Mülltonne   • Holz   • Parfüm

Tipp: Versuchen Sie, mit den Wörtern eine oder mehrere kurze Geschichten zu machen, z. B.:

Frau Mayer war im Supermarkt. In ihrer Tüte hat sie ...

• Tüte   • Taste   • Stoff   • Briefumschlag

▶ 4|26 **b** Schließen Sie das Buch und schreiben Sie die Wörter auf. Welche fehlen?
Vergleichen Sie mit Ihrer Partnerin / Ihrem Partner. Hören Sie dann alle Wörter und sprechen Sie nach.

c Wählen Sie fünf schwierige Wörter aus a und suchen Sie drei Assoziationen zu den Wörtern.
Vergleichen Sie mit Ihrer Partnerin / Ihrem Partner und erklären Sie die Assoziationen.

Holz: Winter, Wald,
      braun, ...

Tipp: Konzentrieren Sie sich beim
Wiederholen auf schwierige Wörter.

Tipp: Verwenden Sie die neuen
Wörter in einem Gespräch.

d Wählen Sie fünf andere schwierige Wörter aus a und
schreiben Sie zu jedem Wort einen wahren persönlichen Satz.
Lesen Sie Ihre Sätze Ihrer Partnerin / Ihrem Partner vor.

Ich mag keine Bohnen.

Tipp: Benutzen Sie die neuen
Wörter in persönlichen Sätzen.
(Sätze mit *ich, mein, wir, unser, ...*)

e Schließen Sie das Buch. Schreiben Sie noch einmal alle Wörter auf. Welche fehlen jetzt?

AB ## C3 Texte auswendig lernen: Tipps und Tricks

a Lesen Sie den Text und ergänzen Sie die Adjektivendungen.

Ich sehe eine italienisch_e_ Stadt am Meer.
Ich sehe unser rot____ Auto
vor unserem hübsch____ Hotel
direkt neben diesem klein____ Café am alt____ Hafen.
Und ich sehe dich mit deinen fröhlich____, braun____ Augen,
in deinem blau-weiß____ Kleid
einen klein____ Eiskaffee bestellen.
Das alles sehe ich vor mir,
wenn ich unser gemeinsam____ Lied im Radio höre.

> Adjektivdeklination (2)
> – kein/mein/dein/sein/unser/euer/Ihr/...
>   *funktionieren wie*
>   ein/eine/... (= EIN-Wörter)
>   Beispiel: eine tolle Stadt → ihre tolle Stadt
>
> – dieser/jeder/mancher/welcher/...
>   *funktionieren wie*
>   der/die/das/... (= DER-Wörter)
>   Beispiel: das kleine Café → dieses kleine Café

▶ 4|27 **b** Hören Sie den Text und vergleichen Sie.

c Lernen Sie den Text auswendig und schreiben Sie ihn aus dem Gedächtnis auf.

Tipp: Wiederholen
Wiederholen Sie jede Zeile
drei- oder viermal.
Sprechen Sie die Zeile leise
vor sich hin.

Tipp: Anfangsbuchstaben
Schreiben Sie nur die An-
fangsbuchstaben der Wörter
auf und sprechen Sie dann den
Text zwei- oder dreimal leise.

Tipp: Gedächtnisbilder
Machen Sie sich
für jede Zeile ein
Gedächtnisbild
(z. B. Zeile 1)

d Schreiben Sie einen Text wie in a. Wählen Sie zuerst einen Textanfang (A) und ein Textende (B) aus
und suchen Sie dann Nomen und Adjektive (C), die in Ihren Text passen.

A ich sehe ... ich höre ... ich rieche ... ich schmecke ... ich fühle ... ich denke an ...

B wenn ich ... sehe. wenn ich (das Wort) ... höre. wenn ich an ... denke.
   wenn ich ... lese. wenn ich mich an ... erinnere.

C groß kurz schön dumm einfach interessant gut alt billig leer müde traurig glücklich
   durstig zufrieden wütend nervös rot fertig bitter sauber stressig ruhig stark kalt dick
   fleißig wach hübsch schief schwer schlank breit praktisch freundlich komisch attraktiv
   deprimiert optimistisch hoch wild seltsam tot böse tief heiß sonnig windig kühl
   tolerant verrückt günstig ständig weich schlimm frisch automatisch ...

Ich sehe unser altes Klavier, und ich höre ...

e Partnerarbeit. Tauschen Sie Ihre Texte. Lernen Sie den Text Ihrer Partnerin / Ihres Partners auswendig.

GRAMMATIK

Verb

Verben mit Präpositionen

	Verb	Präposition	
Ich	interessiere mich	für + Akkusativ	das Konzert / den Musiker / ...
Ich	suche	nach + Dativ	dem Versteck / der Konzertkarte

Verb + Präposition + Akkusativ	Verb + Präposition + Dativ
sich interessieren für	suchen nach
sich ärgern über	einladen zu
sich kümmern um	erzählen von
schreiben über	fragen nach
sich freuen über	beginnen mit
sprechen über	sprechen mit
...	...

Satz

Infinitivsätze

		Satzende
Ich habe Lust/ Zeit/ ... Ich habe vor / Ich versuche / ...	} Anna	**zu** treffen. an**zu**rufen.
Es ist wichtig/ schön/toll/...	} gemeinsame Interessen	**zu** haben.

Nomen

Präpositionalpronomen

	wo(r)...?	da(r)...
sich für Geocaching interessieren	wofür?	dafür
über das Konzert sprechen	worüber?	darüber
nach dem Versteck suchen	wonach?	danach

* bei Personen: sich für den Musiker interessieren – für wen? / für ihn

Woran denken Sie bei diesem Bild?
An meine Zahnschmerzen.
Und bei diesem Bild?
Auch an meine Zahnschmerzen. Ich muss immer daran denken.

Adjektivdeklination – Regeln (2)

Adjektivdeklination nach unbestimmtem Artikel *ein-*

	Nominativ	Akkusativ	Dativ
Singular			
• maskulin	ein weißer Pullover	einen weißen Pullover	einem weißen Pullover
• neutral	ein weißes Hemd		einem weißen Hemd
• feminin	eine weiße Bluse		einer weißen Bluse
Plural			
•	weiße Pullover		weißen Pullovern

Possessivartikel *mein-/dein-/...* und **Negativartikel** *kein-* funktionieren wie *ein-* (= EIN-Wörter)
• mein/dein/sein/ihr/unser/euer/ihr/Ihr/kein kleiner Eiskaffee
• mein/dein/sein/ihr/unser/euer/ihr/Ihr/kein neues Auto
• meine/deine/seine/ihre/unsere/eure/ihre/Ihre/keine tolle Stadt

Adjektivdeklination nach bestimmtem Artikel *der/das/die*

	Nominativ	Akkusativ	Dativ
Singular			
• maskulin	der weiße Pullover	den weißen Pullover	dem weißen Pullover
• neutral	das weiße Hemd		dem weißen Hemd
• feminin	die weiße Bluse		der weißen Bluse
Plural			
•	die weißen Pullover		den weißen Pullovern

dies-/jed-/manch-/welch- funktionieren wie *der/das/die* (= DER-Wörter)
• dieser/jeder/mancher/welcher kleine Hafen
• dieses/jedes/manches/welches neue Kleid
• diese/jede/manche/welche tolle Stadt

REDEMITTEL

persönliche Informationen austauschen

Wofür interessierst du dich / interessieren Sie sich?
Für Jazz/...
Dafür interessiere ich mich auch/nicht.
Für wen interessierst du dich / interessieren Sie sich?
Worüber freust du dich / freuen Sie sich?
Über wen freust du dich / freuen Sie sich?
Worauf freust du dich / freuen Sie sich?
Auf wen freust du dich / freuen Sie sich?

Worum kümmerst du dich / kümmern Sie sich? / Um wen ...?

ein Treffen vereinbaren

Hast du Lust / Haben Sie Lust, nächste Woche in ein Konzert zu gehen /...?
Ja gern. Wann denn?
Am Donnerstag/... Hast du / Haben Sie da Zeit?
Tut mir leid. Da geht es nicht.
Wann hast du / haben Sie denn Zeit?

Am Mittwoch. Am Nachmittag /... muss ich ..., aber am Abend /... habe ich Zeit.

nützliche Sätze

Ich habe (keine) Lust, ... zu lesen/...
Ich habe (keine) Zeit, ... zu kommen /...
Ich habe vor, ... zu machen /...
Es ist wichtig/schön/normal/... aufzuhören/...
Ich finde es interessant/schwierig/..., ... zu lernen.

Wie bleibst du gesund?

Gesundheit

SIE LERNEN

- über Situationen im Straßenverkehr sprechen
- Gespräche in der Apotheke
- über Sport sprechen
- gemeinsam Wörter verstehen

GRAMMATIK
- Verben mit Dativ und Akkusativ (2)
- Indefinitpronomen *einer / meiner / keiner*
- *jemand, niemand*
- Wortbildung Nomen auf *-ung, -er*

WORTSCHATZ
- Auto
- Gesundheit
- Sportarten

a **Wie bleiben Sie gesund? Was machen Sie? Machen Sie Notizen.**

keine Süßigkeiten essen   ~~nicht rauchen~~   Sport treiben   zu Fuß zur Arbeit gehen
viel Obst und Gemüse essen   im Straßenverkehr vorsichtig sein   viel schlafen
wenig arbeiten   keinen Alkohol trinken   regelmäßig zum Arzt gehen   …

Das mache ich: nicht rauchen, …
Das mache ich nicht, möchte ich aber machen:
Das mache ich nicht, und das möchte ich auch nicht machen:

b **Lesen Sie und vergleichen Sie mit der Liste in a. Was macht Angelika?**

Angelika: Ich treibe gern Sport. Ich spiele Tennis und fahre jeden Tag mit dem Fahrrad zur Arbeit. Das ist gut für meine Gesundheit. In meinem Beruf habe ich oft viel Stress, da brauche ich den Sport. Ich rauche nicht, aber ich liebe Süßigkeiten. Es ist sehr schwierig für mich, kein Eis, keinen Kuchen und keine Schokolade zu essen. Darüber ärgere ich mich manchmal. Wenn ich wieder einmal zu viel von meiner Lieblingsschokolade gegessen habe, gehe ich zusätzlich ein- oder zweimal ins Fitnesscenter.

c **Schreiben Sie einen Text mit Ihren Ideen aus a und sprechen Sie mit Ihrer Partnerin / Ihrem Partner.**

Ich … gern / oft / manchmal / immer / nie … / Ich … zusätzlich …
Das ist gut / nicht gut für meine Gesundheit. Aber ich …
Darüber ärgere ich mich manchmal.
Es ist schwierig / einfach für mich, … zu …

Warum ist es für dich schwierig / einfach, … zu …? Ich …

Das kann ich gut verstehen. Ich … auch nicht …

AB **A1 Von Autofahrern, Fußgängern und Radfahrern ...**

▶ 4|28–33 **a** **Fünf Situationen im Straßenverkehr. Lesen Sie und hören Sie die Texte. Was meinen Sie, welche Antwort passt für Sie (I), welche für Ihre Partnerin / Ihren Partner (P)? Kreuzen Sie I oder P an.**

Ärger im Straßenverkehr

Mehr als zwei Millionen Unfälle passieren jedes Jahr auf den deutschen Straßen. Psychologen meinen, dass der Stress bei Autofahrern, Fußgängern[1] und Radfahrern in den letzten Jahren gestiegen ist. Mehr Stress bedeutet aber auch mehr Unfälle. Verkehrsteilnehmer sollten sich deshalb nicht über den anderen ärgern, sondern ruhig bleiben und besser kommunizieren. Ärgern Sie sich sehr schnell im Straßenverkehr oder bleiben Sie ruhig?

5 Das können Sie mit diesem Test herausfinden.

A Sie fahren auf der Autobahn. Hinter Ihnen fährt ein Lastwagen (LKW). Der Fahrer möchte, dass Sie schneller fahren. Er gibt Ihnen Zeichen mit der Lichthupe.

Sie denken: „Der Fahrer hat sicher einen dringenden[2] Termin und muss sich beeilen[3]." Sie machen ihm Platz.   1

Sie bleiben vor dem LKW, bremsen[4] und denken: „Er soll sich ruhig ärgern."   3

Sie denken: „Den Fahrer melde ich der Polizei."   2

B Sie stehen vor der Ampel. Ein Radfahrer fährt rechts an Ihrem Auto vorbei[5]. Dann biegt er bei Rot nach rechts ab[6]. Dabei verliert er seine Tasche. Er bemerkt es nicht und fährt weiter.

Die Ampel wird grün. Sie fahren über die Tasche des Radfahrers.   3

Sie fahren dem Radfahrer hinterher. Sie geben ihm die Tasche.   1

Sie lassen die Tasche liegen und denken: „Die Polizei sollte Radfahrer stärker kontrollieren."   2

C Sie sind zu Fuß unterwegs. Sie haben einen wichtigen Termin und keine Zeit. Die Ampel wird grün und Sie möchten über die Straße gehen. Da fragt Sie ein Tourist nach dem Weg.

Sie gehen einfach weiter.   3

Sie kennen den Weg, sagen aber, dass Sie auch fremd sind, und gehen schnell weiter.   2

Sie bleiben stehen und zeigen ihm den Weg auf dem Stadtplan.   1

D Sie fahren mit einem Kollegen in die Hauptstadt. Sie haben eine Panne[7]. Ihr Kollege erklärt Ihnen das Problem. Sein Auto fährt mit Benzin. Er hat aber an der letzten Tankstelle nicht aufgepasst und Diesel getankt ...

Sie schimpfen: „Jetzt verpassen[8] wir unseren Termin! Warum hast du nicht aufgepasst?"   3

Sie steigen aus und fahren allein per Autostopp weiter.   2

Sie sagen: „Rufen wir die Pannenhilfe an. Die bringt uns zu einer Werkstatt[9]."   1

E Sie fahren auf dem Radweg. Neben Ihnen parken Autos. Plötzlich macht ein Autofahrer vor Ihnen die Autotür auf.

Sie fahren weiter und denken: „Da habe ich noch einmal Glück gehabt."   1

Sie bleiben stehen und schimpfen: „Können Sie nicht aufpassen? Haben Sie keine Augen im Kopf!"   3

Sie sind wütend und gehen zu einem Polizisten. Sie erzählen ihm alles.   2

---

[1] jemand, der zu Fuß geht   [2] etwas ist wichtig   [3] etwas schnell machen   [4] mit einem Fahrzeug (= Auto, Fahrrad usw.) langsamer werden
[5]   [6] nach links oder rechts fahren oder gehen   [7] ein Problem mit einem Fahrzeug haben   [8] zu spät kommen
[9] dort werden Autos repariert

b   Partnerarbeit. Sprechen Sie und vergleichen Sie
mit Ihren Vermutungen aus a.

*Ich glaube, dass du
in Situation 1 vor dem LKW
bleibst und bremst.*

*Nein, das mache ich auf
keinen Fall.*

c   Zählen Sie Ihre Punkte in a und vergleichen Sie
mit der Lösung auf Seite 148.

d   Welche Situationen in a sind gefährlich oder können gefährlich werden?
Was meinen Sie? Sprechen Sie im Kurs.

*Es ist gefährlich, auf der Autobahn
plötzlich zu bremsen.*

AB   **A2 Bleiben Sie höflich!**

a   Suchen Sie die Sätze im Text in 1a. Ergänzen Sie die Wörter und die Situationen (A–E).

1 _Sie_ geben _____ die Tasche.   **B**
2 _____ erzählen _____ alles.
3 Den Fahrer melde _____ _____.
4 _____ zeigen _____ den Weg.
5 _____ machen _____ Platz.
6 _____ erklärt _____ das Problem.

> **Verben mit Dativ und Akkusativ**
> Ich gebe dem Radfahrer die Tasche.
>
> Ich gebe ^Wem? = Dativ^ ihm ^Was? Wen? = Akkusativ^ die Tasche.
> Ich gebe sie dem Radfahrer. Pronomen vor Nomen
> Ich gebe sie ihm. Akkusativpronomen vor Dativpronomen

b   Lesen Sie die Aufforderungen (1–6) und ordnen Sie sie den Situationen A, B und C zu.

A

Tankstelle

B

Autopanne

C

Polizeikontrolle

1 Geben Sie mir bitte einen Liter Motoröl.
2 Erklären Sie mir, warum Sie so schnell
   gefahren sind.
3 Bring mir bitte mein Werkzeug.

4 Zeigen Sie mir Ihren Erste-Hilfe-Kasten.
5 Leih mir bitte dein Handy, ich muss die
   Pannenhilfe anrufen.
6 Tanken Sie bitte voll.

c   Schreiben Sie die Sätze in b höflicher. Finden Sie noch weitere Sätze zu den Situationen in b.

den Weg auf der Karte zeigen   eine Karte für die Waschstraße verkaufen   die Autopapiere zeigen
die Adresse der nächsten Werkstatt aufschreiben   den Reifen reparieren   ein Hotel empfehlen   ...

1 Könnten Sie mir bitte einen Liter Motoröl geben?

d   Lesen Sie Ihre Sätze im Kurs vor. Die anderen raten die Situation.

A3 Wer? Wem? Was? Warum?

a   Schreiben Sie vier Zettel mit persönlichen Situationen wie im Beispiel.
Ergänzen Sie aber nur die Punkte 1 bis 3. Benutzen Sie die Verben.

schenken   erzählen   zeigen   wegnehmen   kaufen
erklären   holen   bringen   bezahlen   leihen

wegnehmen
1 Wer? Die Polizei
2 Wem? Meinem Freund
3 Was? Den Führerschein
4 Warum?

b   Partnerarbeit. Tauschen Sie die Zettel. Ihre Partnerin /
Ihr Partner liest Ihre Zettel und ergänzt Punkt vier.

c   Ihre Partnerin / Ihr Partner liest ihre / seine
Vermutung vor. Ist sie richtig? Antworten Sie.

4 Warum? betrunken

*Ich glaube, er war
betrunken.*

*Nein, er ist zu schnell
gefahren.*

B1 In der Apotheke

▶ 4|34 a   **Zwei Fahrradunfälle. Wo sind die Unfälle passiert? Hören Sie und kreuzen Sie an.**

Mein Bein hat geblutet.

Mein Arzt hat mir ein Rezept gegeben, und jetzt hole ich mir die Medikamente.

Peter Krüger   Karin Fuchs

1   Peter Krüger hatte einen Fahrradunfall   in der Stadt.   in den Bergen.   am Fluss.
2   Karin Fuchs hatte einen Fahrradunfall   in der Stadt.   in den Bergen.   am Fluss.

▶ 4|34 b   **Hören Sie noch einmal. Ergänzen Sie „Karin Fuchs" (KF) oder „Peter Krüger" (PK).**

1 _____ musste nach ihrem Unfall ins Krankenhaus.
2 _____ nimmt Medikamente gegen die Schmerzen.
3 _____s Verletzung war nicht schlimm.
4 Der Autofahrer hat sich bei   nicht entschuldigt.

5 _____ findet, dass es in der Stadt nicht genug Radwege gibt.
6 _____ hatte einen Unfall mit dem Mountainbike.

c   **Lesen Sie die Sätze aus dem Dialog. Was passt zusammen? Ordnen Sie zu.**

1 Es gibt immer mehr Fahrradunfälle.
2 Da haben mehrere Autos geparkt
3 Wir brauchen mehr Radwege in der Stadt.
4 Bäume? Auf der Straße? Mitten in der Stadt?

a … Da gibt es doch gar <u>keine</u>.
b … Hier vor der Apotheke ist <u>einer</u>, … und es gibt <u>welche</u> am Fluss.
c … Ich hatte letzte Woche auch <u>einen</u>.
d … und <u>eines</u> ist plötzlich herausgefahren.

d   **Wofür stehen die unterstrichenen Wörter in c? Schreiben Sie.**

einen = einen Fahrradunfall, …

> **Indefinitpronomen**
> ◆ Wir brauchen mehr Radwege.
> ■ Vor der Apotheke ist einer (= ein Radweg)."

Nominativ	Akkusativ
• einer/keiner/meiner/…	• einen/keinen/meinen/…
• ein(e)s/kein(e)s/mein(e)s/…	
• eine/keine/meine/…	
• welche/keine/meine/…	

B2 Der Nächste, bitte …!

▶ 4|35 a   **Warum müssen die Personen zur Apotheke? Ordnen Sie zu. Hören Sie dann und vergleichen Sie.**

1   2   3   4   5   6

a • Husten   b • Herzprobleme   c • Grippe   d • Magenschmerzen   e • Schnupfen   f schwanger

▶ 4|36 **b** Hören Sie vier Gespräche in der Apotheke. Welches Bild aus a passt?

Gespräch 1: __Bild 3__   Gespräch 2: _____   Gespräch 3: _____   Gespräch 4: _____

▶ 4|36 **c** Hören Sie noch einmal und ergänzen Sie die Indefinitpronomen (____) und die anderen Wörter (____).

1 • Ich brauche etwas gegen meinen __Husten__ .
  ▪ Vielleicht einen guten _____?
  • Ja, bitte geben Sie mir _____.

2 • Haben Sie einen Tee gegen _____?
  ▪ Ja, eine Dose kostet 12,50 €.
  • Gut, geben Sie mir _____. Hier sind 50,– €, ich habe leider kein Kleingeld.

3 ▪ Das Mittel gegen die _____ dreimal täglich einnehmen.
  • Vielen Dank. Ich brauche auch noch ein Fieberthermometer.
  ▪ Hier haben wir _____ für 15,– €.
  • Ja, bitte geben Sie mir _____.

4 • Ich habe meine _____ vergessen. Mein Name ist Peters.
  ▪ Ja, hier liegen _____. Sind es diese hier?
  • Ja, das sind _____. Vielen Dank, auf Wiedersehen.

d Partnerarbeit. Sie haben etwas in der Apotheke vergessen. Machen Sie Dialoge wie in den Beispielen.

• Handy • Hustensaft • Regenschirm • Quittung für die Krankenkasse • Grippetabletten • Handtasche …

• Ich glaube, ich habe mein Handy vergessen.   • Ich suche meinen Regenschirm.
▪ Ist es dieses hier?   ▪ Ich habe hier einen. Gehört der Ihnen?
• O ja, das ist meins, vielen Dank.   • Ja, das ist meiner. Danke.

B3 Was ist da los?

a Partnerarbeit. Lesen Sie die drei Telefongespräche. Was denken Sie, was ist passiert?

1 … Ich habe hier welche, und es sind nicht meine, sind es vielleicht deine? Wir waren zusammen in der Apotheke, vielleicht hast du dort meine genommen, und ich habe jetzt deine. … Ja, treffen wir uns, und dann bringe ich deine mit.

2 … Meiner hatte das Problem auch. Er hat eine Woche lang fast nichts gegessen. Und dann sind wir zum Arzt gegangen. Wart ihr mit eurem schon beim Arzt? Ich weiß, sie mögen Arztbesuche überhaupt nicht, aber bei unserem war es wirklich notwendig. Er ist jetzt wieder ganz gesund, jeden Tag will er spazieren gehen …

3 Ich war also bei der Untersuchung[1], und dann hat er gemeint: „Seines ist es ja nicht, seines ist ganz gesund. Es ist meines, das nicht mehr so richtig funktioniert, und wenn ich nicht mit dem Rauchen aufhöre, …"
… Ja, er hat mir welche aufgeschrieben. Die habe ich mir dann aus der Apotheke geholt. Ich habe mich schon geärgert, was soll denn das heißen: „Seines ist es nicht …"

[1] (untersuchen) Der Arzt versucht herauszufinden, warum eine Person krank ist.

4|37–39 **b** Hören Sie die ganzen Gespräche und vergleichen Sie.

c Gruppenarbeit: Wem gehört …? Zeichnen Sie fünf Gegenstände auf kleine Zettel. Sammeln Sie die Zettel ein, mischen Sie sie und teilen Sie sie aus. Fragen und antworten Sie wie im Beispiel.

Ich habe eine Seife. Ist das deine?

 • Seife

 • Hustensaft

 • Bikini

 • Päckchen

• Puppe

Nein, das ist nicht meine. Ich glaube, das ist ihre / seine.

C1 Fit durch Sport?

▶ 4|40 a **Lesen Sie und hören Sie den Text. Warum ist Radfahren nicht immer gesund?**

Race Across America

Radfahren ist gesund! – Vielleicht aber doch nicht immer …

Bewegung und Sport sind wichtig für unsere Gesundheit, auch das Radfahren. „Fahren Sie doch täglich mit dem Rad zur Arbeit, das hält Sie fit", empfehlen viele Ärzte.

5 Doch manchen Radfahrerinnen und Radfahrern ist das nicht genug: Das „Race Across America" ist wohl das verrückteste Radrennen der Welt. Die Teilnehmer müssen dabei 5000 km von der Westküste bis zur Ostküste der USA fahren, und das ohne Pause.

10 Die Schweizer Extremsportlerin Trix Zgraggen hat an diesem Rennen teilgenommen und war die schnellste Frau unter 52 Teilnehmern. Sie hat die 5000 km in zehn Tagen und vierzehn Stunden geschafft. Täglich mit dem Rad zur Arbeit zu fahren, war für

15 sie während der Vorbereitung auf das Rennen aber sicher zu wenig.
Auch für den Mountainbiker Markus Stöckl sind dreißig bis vierzig Minuten tägliches Radfahren nicht genug. Er ist Spezialist für Geschwindigkeitsrekorde

20 auf dem Mountainbike. Bei seinen Rekordversuchen hat er Geschwindigkeiten von über 200 km/h erreicht. Wie gefährlich diese Versuche sind, hat

der Unfall von Extremradfahrer Eric Barone
25 gezeigt. Er ist bei 180 km/h gestürzt und konnte danach sehr lange nicht mehr auf sein Rad steigen.

30 Aber auch immer mehr Hobbysportler suchen im Sport ihre persönlichen Grenzen. Beliebt sind Marathonradrennen oder die „Transalp"-Tour, die Radfahrer und Radfahrerinnen über die Alpen führt. Wenn die Teilnehmer schlecht vorbereitet oder

35 unvorsichtig ins Rennen gehen, kommt es immer wieder zu schweren Unfällen.
Warum suchen Sportler so oft das Risiko? Warum gehen sie an ihre Grenzen? „Wir sind nicht zufrieden mit dem Alltäglichen, wir sind neugierig, und wir

40 wollen anders als die anderen sein." „Das alles ist menschlich", meinen die Psychologen. „Doch man muss aufpassen", warnen sie, „Sport kann wie eine Droge sein. Wenn man nicht mehr aufhören kann, ist Sport nicht mehr gesund."

b **Lesen Sie noch einmal und beantworten Sie die Fragen.**

1 Welchen Ratschlag geben Ärzte ihren Patienten? (Zeile 1–4)
2 Was müssen die Teilnehmer am „Race Across America" tun? (Zeile 5–9)
3 Warum ist Trix Zgraggen eine ganz besondere Radfahrerin? (Zeile 10–16)
4 Warum ist Markus Stöckl ein ganz besonderer Mountainbiker? (Zeile 17–22)
5 Wovor warnen die Psychologen? (Zeile 37–45)

c **Suchen Sie die Wörter im Text in a. Ordnen Sie zuerst die Wortart zu und versuchen Sie, die Bedeutung der Wörter zu erraten. Übersetzen Sie dann die Wörter mit einem Wörterbuch in Ihre Muttersprache.**

Wortarten

Nomen (z. B. *Sport*)   Verb (z. B. *wissen*)   Adjektiv (z. B. *gefährlich*)   Präposition (z. B. *in*)

1	täglich	(Zeile 2)	5	erreicht	(Zeile 22)	9	neugierig	(Zeile 39)
2	fit	(Zeile 3)	6	gestürzt	(Zeile 26)	10	menschlich	(Zeile 41)
3	Pause	(Zeile 9)	7	Grenzen	(Zeile 31)	11	Droge	(Zeile 44)
4	während	(Zeile 15)	8	führt	(Zeile 33)			

1 täglich = Adjektiv ≈ jeden Tag   2 …

C2 Wörter durch Wortbildung verstehen

a **Nomen mit *-er*, *-in* und *-ung*. Finden Sie im Text Nomen, die die folgende Bedeutung haben.**

1 wenn sich etwas oder jemand bewegt
2 Frauen, die Rad fahren
3 Personen, die an etwas (z. B. an einem Rennen) teilnehmen
4 wenn etwas vorbereitet wird

> **Nomen mit *-er*, *-ung***
> fahren, der • Fahrer
> sich bewegen, die • Bewegung

b   Zusammengesetzte Wörter. Finden Sie folgende Wörter im Text.

1   ein Rennen mit dem Rad   _____
2   eine Frau, die eine extreme Sportart ausübt   _____
3   Versuche, einen Rekord aufzustellen   _____
4   Personen, die Sport zu ihrem Hobby gemacht haben   _____
5   ein Rennen mit dem Rad über 42 km   _____

AB   **C3   Sportarten**

a   Partnerarbeit. Wie heißen die Sportarten? Welche Sportarten finden Sie extrem, welche nicht?
    Finden Sie noch andere Sportarten.

klettern   Raftingtouren   tauchen   Objektspringen   mountainbiken   Eishockey
             machen   (machen)   spielen

Klettern ist für mich eine Extremsportart.

Klettern ist doch nicht extrem.

b   Fragen Sie möglichst viele Personen in der Gruppe und sammeln Sie Informationen.
    Berichten Sie dann im Kurs.

1   Finden Sie jemanden in der Gruppe, der einen Spitzensportler oder einen Extremsportler kennt.
2   Finden Sie jemanden, der mindestens viermal pro Woche Sport treibt.
3   Finden Sie jemanden, der sich überhaupt nicht für Sport interessiert.

Kennst du jemanden, der ...? Welche Sportart ...? Wie oft ...?
Interessierst du dich ...?

wer? (Nominativ)	jemand – niemand
wen? (Akkusativ)*	jemanden – niemanden
wem? (Dativ)*	jemandem – niemandem

* Akk. + Dat. auch: jemand/niemand

Kennst du jemanden, der ...?

Nein, ich kenne niemanden, der ...

Ja, ich kenne jemanden, der ...

im Wörterbuch: jmd., jmdn., jmdm.,
z. B. jmdm. helfen (= jemandem helfen)

c   Lesen Sie den Text <u>schnell</u> und ignorieren Sie die hell markierten (= unbekannten) Wörter.
    Beantworten Sie dann die Fragen.

1   Was machen Apnoetaucher?   3   Was passierte bei seinem Rekordversuch?
2   Welchen Tauchrekord hält Jan Reuther?   4   Was sind die nächsten Pläne des Tauchers?

Tauchunfall im Mittelmeer

Jan Reuther ist Versicherungskaufmann von Beruf. Aber seine Leidenschaft ist das
Apnoetauchen. Apnoetaucher tauchen ohne Sauerstoffgerät und können dabei bis zu
zehn Minuten unter Wasser bleiben. Jan Reuther war lange Zeit der einzige Deutsche,
der ohne Sauerstoffgerät mehr als 175 Meter tief getaucht ist. Im Mittelmeer wollte er
5   seinen persönlichen Tiefenrekord verbessern. Anfangs lief bei seinem Rekordversuch
alles gut. Ein Tauchgerät zog den Taucher in 190 Meter Tiefe. Doch beim Auftauchen
gab es Probleme. In 100 Meter Tiefe sollte Jan Reuther den Tauchschlitten verlassen
und langsam allein auftauchen. Doch er verlor das Bewusstsein und der Schlitten
zog ihn zu schnell nach oben. Dieser Unfall hatte schlimme Folgen für den Taucher.
10   Lange Zeit konnte Jan Reuther kaum gehen und sprechen. Tauchrekorde kann man von
ihm keine mehr erwarten. Aber Jan Reuther denkt schon wieder an andere Projekte:
Er will ein elektronisches Forschungs-U-Boot bauen und sich für den Schutz der
Meere einsetzen.

▶ 4|41   d   Partnerarbeit. Lesen Sie und hören Sie den Text. Verstehen Sie jetzt einige hell markierte Wörter
    (aus dem Kontext oder durch Wortbildung) besser? Erklären Sie sich gegenseitig die Wörter.

GRAMMATIK

Verb

Verben mit Dativ und Akkusativ (2)

	Position 2			
Ich	zeige		dem Radfahrer	die Tasche.
Ich	gebe		ihm (Wem? = Dativ)	die Tasche. (Was? / Wen? = Akkusativ)
Ich	zeige	sie	dem Radfahrer.	
Ich	gebe	sie	ihm.	

Pronomen vor Nomen

Akkusativpronomen vor Dativpronomen

Dativ **und** Akkusativ nach:

1. *geben, leihen, bringen, ...* = Verben mit der Bedeutung *geben* bzw. *nehmen*
2. *erzählen, erklären, ...* = Verben mit der Bedeutung *sagen*

Nomen

Indefinitpronomen *ein-/kein-/mein-/...*

♦ Gibt es hier einen Radweg? ▪ Ja, am Fluss gibt es einen.

	Nominativ	Akkusativ	Dativ
Singular			
• maskulin	einer/keiner/meiner/...	einen/keinen/meinen/...	einem/keinem/meinem/...
• neutral	ein(e)s/kein(e)s/mein(e)s/...		einem/keinem/meinem/...
• feminin	eine/keine/meine/...		einer/keiner/meiner/...
Plural			
•	welche/keine/meine/...		welchen/keinen/meinen/...

jemand-, niemand-

	Nominativ (Wer?)	Akkusativ (Wen?)	Dativ (Wem?)
Singular			
	jemand (jmd.) niemand	jemanden (jmdn.) niemanden	jemandem (jmdm.) niemandem

Akkusativ / Dativ auch *jemand, niemand* ohne Endung

Worbildung *-er, -ung*

fahren	der • Fahrer
sich bewegen	die • Bewegung*

* Nomen auf *-ung* sind immer feminin.

> Ja, und da sind noch welche.

> Achtung: Auf der A9 fährt ein Geisterfahrer.

(((REDEMITTEL

in der Apotheke

Ich brauche etwas gegen meinen Husten / ...
Vielleicht einen guten Tee / ...?
Ja, bitte geben Sie mir einen Tee / ...
Haben Sie einen Tee / ein Medikament / eine Salbe gegen ...?

Ich habe ein Rezept von meinem Arzt.
Das Mittel gegen die Schmerzen / ... dreimal täglich einnehmen.
Vielen Dank. Ich brauche auch noch ein Fieberthermometer / ...

nützliche Sätze

Da habe ich noch einmal Glück gehabt.
Nein, das mache ich auf keinen Fall.
Hier sind fünfzig Euro /..., ich habe leider kein Kleingeld.

5–8 Punkte: Sie behalten immer die Ruhe und kommen so auch mit schwierigen Situationen gut zurecht[1]. Vergessen Sie aber nicht: Manchmal dürfen Sie sich über andere Verkehrsteilnehmer ärgern. ☺

9–12 Punkte: Meistens können Sie gegenüber anderen Verkehrsteilnehmern höflich bleiben. Manchmal sagen Sie aber auch deutlich Ihre Meinung. Damit zeigen Sie, dass Ihnen Regeln im Straßenverkehr nicht egal sind.

13–15 Punkte: Sie ärgern sich sehr oft im Straßenverkehr. Dabei bleiben Sie nicht immer höflich. Geben Sie acht, dass Sie eine schwierige Situation nicht noch schlimmer machen. Ein Unfall ist schnell passiert und tut Ihnen dann sicher leid.

[1] keine Probleme haben

Quellenverzeichnis

Cover © Getty Images/fStop/Martin Diebel

S. 69: twittern © i love images/fotolia.com; bloggen © olly/fotolia.com; telefonieren © Thinkstock/iStock/william87; Briefe schreiben © Gina Sanders/fotolia.com; SMS schreiben © Thinkstock/iStock/Dimitri Zimmer; unten © Thinkstock/iStock

S. 70: oben: © Thinkstock/iStock; unten von links: © Thinkstock/iStock/Oxilierer, © Thinkstock/iStock/ridofranz, © Thinkstock/iStock/monkeybusinessimages, © Thinkstock/iStock/RTimages, © Thinkstock/veronicagomepola, © Thinkstock/iStock/Ben Blankenburg

S. 71: © Thinkstock/iStock/ridofranz

S. 72: A Cover „Generation Internet" © Bildmotiv: keitel & knoch kommunikationsdesign, München; B © Thinkstock/iStock/Jani Bryson; unten: © Thinkstock/iStock/fsettler

S. 74: B © Thinkstock/iStock/fsettler; C © Thinkstock/iStock/the_corner; unten © Thinkstock/iStock/BakiBG

S. 75: von links: © Thinkstock/Fuse, © Thinkstock/iStock/nyul, © Thinkstock/iStock

S. 77: Schminken © Thinkstock/iStock/LuminaStock; Frau auf Sofa © Thinkstock/Iromaya; Mann im Mantel © Thinkstock/iStock/m-imagephotography; Grimasse © Thinkstock/Photodisc; unten links © Thinkstock/iStock/themacx; unten rechts © Thinkstock/iStock/Tanya Weliky

S. 78: © Thinkstock/Hemera

S. 80: A © Thinkstock/Wavebreak Media; B © Thinkstock/Digital Vision; C © Thinkstock/Stockbyte; D © Thinkstock/Fuse; E © Thinkstock/Digital Vision

S. 81: © iStock/nullplus

S. 82: Jürgen © Thinkstock/Digital Vision; Lasse © Thinkstock/Jupiterimages/Goodshoot; Mario © Thinkstock/iStock/javi_indy; Verena © Thinkstock/iStock/Stefano Lunardi; Nele © Thinkstock/Photodisc; Dorit © Thinkstock/iStock/Alen Dobric

S. 85: Schafe am Rhein © Thinkstock/F1online; Mädchen im Zoo © Thinkstock/Fuse; Paar auf Treppe © Thinkstock/iStock/Eldad Carin; Kühe fotografieren © Thinkstock/iStock/Carsten Madsen; unten © Thinkstock/iStock/Remains

S. 86: links: © Thinkstock/iStock/webguzs; rechts: Elefant © Thinkstock/iStock/DaddyBit, Tiger © Thinkstock/iStock/svetlana foote, Pinguin © Thinkstock/iStock/Jan Will, Delfin © Thinkstock/iStock/koufax73, Robbe © Thinkstock/iStock/Eric Isselée, Löwe © Thinkstock/iStock/GlobalP, Zebra © Thinkstock/iStock/Coldimages, Wildschwein © Thinkstock/iStock/Eric Isselée, Affe © Thinkstock/iStock/Eric Isselée

S. 87: oben: © Thinkstock/iStock/Nicole Blade; unten: © action press/Schroth, Christian

S. 88: oben links und rechts: © Thinkstock/iStock/Dean Mitchell; oben Mitte: © Thinkstock/iStock/jxfzsy; Mitte links: © Thinkstock/iStock/toranico; Mitte rechts: und unten: © Thinkstock/iStock/Dean Mitchell

S. 89: © Thinkstock/iStock/Marina Maslennikova

S. 90: oben von links: © Arid Ocean/fotolia.com, © Thinkstock/iStock/Viktor Čáp, © Thinkstock/iStock/Yasioo; Mitte links © Thinkstock/iStock/Catherine Yeulet; Mitte rechts © Thinkstock/Photodisc; unten links: © Thinkstock/iStock/Ojurevic; unten rechts: © Thinkstock/Hemera

S. 93: Schnee schippen © Thinkstock/Huntstock; Pilze sammeln © Thinkstock/iStock/Boarding1Now; Radfahren © Thinkstock/iStock/Dieter Hawlan; Schwimmen © Thinkstock/iStock/Chad McDermott; Frau © Thinkstock/Photodisc; Mann © Thinkstock/iStock/danr13

S. 94: A © Thinkstock/iStock/Bogentom; B © Thinkstock/iStock/Sura Nualpradid; C © Thinkstock/iStock/Mihai Simonia; D © Thinkstock/iStock/Marek Uliasz

S. 96: © Thinkstock/iStock/Mark Bowden

S. 97: © Thinkstock/Digital Vision

S. 98: oben: © Thinkstock/iStock/Robert Carner; unten von links: © Thinkstock/iStock/Wojciech Gajda, © Thinkstock/iStock/Ben Blankenburg, © Thinkstock/iStock/brytta, © Thinkstock/iStock/Andreas Weber

S. 101: Studentenwohnung © Thinkstock/Digital Vision; Streichen © Thinkstock/Imagesource White; Pause © Thinkstock/Goodshoot/Jupiterimages; Schule © Thinkstock/iStock/Goodluz; Frau unten © Thinkstock/iStock

S. 102: von links: © Thinkstock/Wavebreak Media, © Thinkstock/iStock/ZoltanFabian, © Thinkstock/Wavebreak Media

S. 103: A, D und F © Thinkstock/iStock/matheesaengkaew; B © Thinkstock/Photodisc; C © Thinkstock/iStock/Alexander Yurkinskiy; E © Thinkstock/iStock/Korovin; G © Thinkstock/iStock/Mark Poprocki; H © Thinkstock/iStock/Levent Konuk; I © Thinkstock/iStock/mamadela; J © Thinkstock/iStock/Baiba Opule; K © Thinkstock/iStock/Yordan Markov; L © Thinkstock/iStock/Jillwt; unten © Thinkstock/liquidlibrary/Jupiterimages

S. 105: von links: © Thinkstock/iStock/Tatiana Nizovtseva, © Thinkstock/iStock/kunpirom noysuwan, © Thinkstock/iStock/Danny Smythe, © Thinkstock/iStock/Mohamed Osama, © Thinkstock/iStock/Nastya22

S. 109: Hubschrauberpilot © Thinkstock/iStock/Vicki Reid; Sängerin © Thinkstock/iStock/Jacek Nowak; Artist © Thinkstock/iStock; Fensterputzer © Thinkstock/iStock/fotofrankyat; Tierärztin © Thinkstock/iStock/kkgas; unten: © Thinkstock/iStock/istockphotoluis

S. 110: links: © PantherMedia/Peter Pfändler; rechts: © Thinkstock/iStock/Mihajlo Maricic

S. 111: von oben: © Thinkstock/iStock/Sablin, © Thinkstock/iStock/Radoslaw Kostka, © Thinkstock/Ingram Publishing, © Thinkstock/iStock/creative commons

S. 112: © Thinkstock/iStock

S. 113: © Thinkstock/iStock/Zoran Zeremski